La Chartreuse

Adaptation de **Jimmy Bertini**
Illustrations de **Gianluca Garofalo**

Rédaction : Maréva Bernède
Direction artistique et conception graphique : Nadia Maestri
Mise en page : Carlo Cibrario-Sent, Simona Corniola
Recherche iconographique : Alice Graziotin

© 2013 Cideb
Première édition : janvier 2013

Crédits photographiques : IstockPhoto ; DreamsTime ; Shutterstock Images ; Web Photo : 5 ; Rue des Archives/Tips Images : 6 ; De Agostini Pictures Library : 15 cb, 25 ; © Fabian Cevallos/Sygma/Corbis : 76, 77 ad ; Web Photo 77 b.

Pour toute suggestion ou information, la rédaction peut être contactée à l'adresse suivante :
info@blackcat-cideb.com
blackcat-cideb.com

Member of CISQ Federation

RINA
ISO 9001:2008
Certified Quality System

The design, production and distribution of educational materials for the CIDEB brand are managed in compliance with the rules of Quality Management System which fulfils the requirements of the standard ISO 9001 (Rina Cert. No. 24298/02/S - IQNet Reg. No. IT-80096)

ISBN 978-88-530-1335-4   livre + CD

Imprimé en Italie par Litoprint, Gênes

Sommaire

Le texte est intégralement enregistré.

 Ce symbole indique les chapitres et les activités enregistrés et le numéro de leur piste.

 Les exercices qui présentent cette mention préparent aux compétences requises pour l'examen.

Henri Beyle (connu sous le pseudonyme littéraire de Stendhal),
Johan Olaf Sodermark, 1840.

Stendhal

Henri Beyle, dit Stendhal, voit le jour le 23 janvier 1783 à Grenoble.
Né dans une famille bourgeoise, il perd sa mère, qu'il adore, alors
qu'il n'a que 7 ans. En 1799, il se rend à Paris pour passer le concours
de l'École polytechnique. Cependant, la ville lui déplaît au point d'en
tomber malade. Il renonce à entrer à l'École polytechnique et, grâce
à l'aide d'un proche parent, il travaille au ministère de la Guerre. Le
7 mai 1800, il rejoint la Grande Armée en Italie où, plus tard, il sera
nommé sous-lieutenant.

Gérard Philipe et Antonella Lualdi dans *Le Rouge et le noir* (1954).

Stendhal est aussitôt fasciné et émerveillé par la péninsule italienne. En décembre 1801, il revient à Grenoble, puis à Paris, et démissionne de son poste de sous-lieutenant. Il fréquente alors les théâtres et les salons et mène dans la capitale une vie de liberté, de loisirs et d'aventures amoureuses.

Après avoir passé deux ans à Marseille pour suivre une jeune actrice dont il était amoureux, Stendhal rentre à Paris en 1805. Il a de nouveau recours à sa famille pour trouver un emploi. Affecté au service de l'intendance, il fait de nombreux voyages : il se rend en Allemagne, en Autriche, en Russie et en Italie.

La Chartreuse de Parme de Christian Jaque avec Gérard Philipe (1947).

En 1814, après la chute de Napoléon, il part en Italie et s'installe à Milan. C'est là que commence sa carrière littéraire. En 1817, il publie *Histoire de la peinture en Italie* puis *Rome, Naples et Florence*.

Après plusieurs histoires d'amour mouvementées, il est obligé de rentrer à Paris en 1821. Il fréquente alors les salons et collabore, pour vivre, avec des revues anglaises. En 1827, il publie son premier roman, *Armance*, plutôt mal accueilli et vite oublié. Il repart ensuite en Italie, et séjourne à Florence, Bologne, Ferrare et Venise.

En 1830, Stendhal est nommé consul à Trieste, puis à Civitavecchia. Le 13 novembre de cette même année paraît son premier chef-d'œuvre : *Le Rouge et le Noir*. Stendhal se met ensuite à voyager, puis rentre à Paris. C'est là qu'il écrit son second roman, *La Chartreuse de Parme*, qui paraît en 1839. Quand il découvre ce livre, le célèbre écrivain Balzac écrit « M. Beyle a fait un livre où le sublime éclate de chapitre en chapitre ».

Stendhal meurt à Paris le 23 mars 1842.

La Chartreuse de Parme

Écrit en à peine sept semaines, ce roman, publié en 1839 en deux volumes, est l'un des chefs-d'œuvre de Stendhal les plus connus. Il raconte l'histoire d'un jeune Italien, Fabrice del Dongo, qui rêve de gloire et d'une grande carrière militaire. Accusé de meurtre, il finira en prison. Là, il connaîtra l'amour, puisqu'il tombera sous le charme de Clélia Conti, la fille du gouverneur de la forteresse où il est enfermé.

LA

CHARTREUSE
DE PARME,

PAR

STENDHAL HENRI BEYLE);

précédée

D'UNE NOTICE SUR LA VIE ET LES OUVRAGES DE BEYLE, PAR M. COLOMB;

SUIVIE D'UNE ÉTUDE LITTÉRAIRE SUR BEYLE, PAR M. DE BALZAC,
ET D'UNE LETTRE INÉDITE DE L'AUTEUR EN RÉPONSE À CE TRAVAIL.

PARIS.
PUBLIÉ PAR J. HETZEL,
RUE RICHELIEU, 76; RUE DE MÉNARS, 10.
1846

Compréhension écrite

DELF 1 Lisez le dossier, puis dites si les affirmations sont vraies (V) ou fausses (F).

		V	F
1	Le vrai nom de Stendhal est Henri Dès.		
2	Stendhal est nommé sous-lieutenant en 1800.		
3	Stendhal est fasciné par l'Allemagne.		
4	Après la chute de Napoléon, il part s'installer à Rome.		
5	Son premier roman paraît en 1827.		
6	Son premier chef-d'œuvre s'intitule *Le Rouge et le Vert*.		
7	Stendhal meurt à Paris en 1844.		
8	Il a écrit *La Chartreuse de Parme* en sept semaines.		

Personnages

De gauche à droite et de haut en bas : Fabrice del Dongo, la marquise del Dongo, le marquis del Dongo, l'abbé Blanès, Gina Pietranera, le comte Mosca, Clélia Monti, le gouverneur Monti.

Avant de lire

1 Associez chaque mot à l'image correspondante.

a un palais   **b** un château   **c** des étoiles   **d** un paysan

2 Associez chaque mot souligné à sa définition.

1 ☐ Il veut s'emparer de la ville de Paris.
2 ☐ Le professeur doit nous interroger demain matin.
3 ☐ Le capitaine vient de débarquer sur une petite île.
4 ☐ Les soldats cherchent un lieu pour camper.
5 ☐ Les jésuites sont très nombreux dans cette région.
6 ☐ Le lieutenant est très sévère avec ses hommes.

a Sortir d'un bateau, d'un navire.
b Religieux de l'ordre de la Compagnie de Jésus.
c S'installer provisoirement quelque part.
d Poser des questions à quelqu'un.
e Grade immédiatement inférieur à celui de capitaine.
f Prendre violemment possession de quelque chose.

Fabrice del Dongo

L e 15 mai 1796, le général Napoléon Bonaparte entre dans la ville de Milan, dominée jusque-là par les Autrichiens. Accueillis par la population comme des libérateurs, les Français sont logés chez les gens les plus riches de la ville. L'un d'entre eux, le lieutenant Robert, s'installe dans le palais du marquis del Dongo qui, hostile à Napoléon, se réfugie dans son château de Grianta situé près du lac de Côme. Le lieutenant Robert profite de l'absence du marquis pour séduire sa femme et entretenir une relation secrète avec elle.

En 1798, les Autrichiens réussissent à chasser les Français de Milan et à reprendre la ville : le marquis del Dongo peut enfin rentrer définitivement dans son palais. C'est à ce moment-là que naît son second fils, Fabrice, dont le père est en réalité le lieutenant Robert. Cependant, deux ans plus tard, Napoléon Bonaparte franchit de nouveau les Alpes, triomphe lors de la bataille de Marengo et s'empare de Milan. Le retour des Français oblige le marquis à s'exiler une nouvelle fois dans son château de Grianta. C'est là que Fabrice passe les premières années de sa jeunesse, avant d'être envoyé au collège des jésuites à Milan.

La sœur de son père, la comtesse Gina Pietranera, une femme d'une grande beauté, obtient la permission de le faire sortir quelques fois du collège. Elle se prend de passion pour lui, l'emmène dans toutes les fêtes importantes et l'introduit dans le grand monde napoléonien.

Cependant, lorsque Fabrice revient à Grianta, il ne sait faire que deux choses : de l'exercice physique et monter à cheval. Le marquis charge alors l'abbé Blanès de l'instruire. Passionné d'astrologie, le curé de Grianta passe toutes ses soirées en haut du clocher à observer les étoiles. Il réussit à transmettre cette passion à Fabrice, qui l'adore et trouve en lui un père de substitution.

En 1814, à la grande joie du marquis del Dongo, les troupes autrichiennes rentrent dans Milan. Après la mort de son mari, Gina Pietranera est recueillie au château de Grianta où reviennent la joie et la gaîté. Fabrice fait de nombreuses promenades dans les environs du lac de Côme en compagnie de sa mère et de sa tante. Cette dernière, qui a désormais 31 ans, découvre une nouvelle jeunesse.

Le 7 mars 1815, Fabrice apprend que Napoléon Bonaparte vient de débarquer près de Cannes, dans le sud de la France, et qu'il se dirige vers Paris. Le lendemain matin, très tôt, il va voir Gina et lui dit :

— Ma tante, j'ai pris une décision très importante : je pars immédiatement rejoindre l'Empereur.

La comtesse, folle d'angoisse, lui prend les mains et s'exclame :

— Mais... Pourquoi cette idée ?

— Hier soir, j'ai vu un aigle, l'oiseau de Napoléon, qui volait majestueusement dans le ciel en direction de la Suisse, et donc de Paris. C'est un signe : j'ai compris que je devais partir le rejoindre.

— Tiens, prends ça ! dit-elle en lui donnant une petite bourse pleine d'argent. Mais, surtout, fais bien attention à toi !

Lorsque la marquise del Dongo apprend la nouvelle, elle est folle de tristesse, mais elle sait qu'elle ne parviendra pas à empêcher son fils de partir. Elle lui donne alors tout l'argent qu'elle possède et quelques diamants.

Fabrice embrasse sa mère et part aussitôt. Le soir même, il se rend dans la ville de Lugano, en Suisse, avant d'atteindre la France dès le lendemain. Il poursuit sa route et arrive à Paris où il tente sans succès de rencontrer l'Empereur. Après quelques jours dans la capitale, il décide de partir vers Maubeuge pour rejoindre l'armée napoléonienne. Le soir, il rencontre des soldats qui campent près d'un feu. Il s'approche d'eux et leur demande l'hospitalité. Surpris et intrigués par son allure et son accent, les soldats le prennent pour un espion : Fabrice est arrêté et envoyé en prison.

Après trente-trois jours d'emprisonnement, la geôlière[1], attendrie par son jeune âge et troublée par sa beauté, lui donne les habits d'un soldat français et lui dit :

— Tiens, mets cet uniforme. Il appartient à un soldat qui est mort avant-hier. Je vais t'aider à t'échapper. Mais, surtout, une fois sorti de prison, parle le moins possible. Si on t'interroge, dis que tu vas rejoindre ton régiment.

Fabrice remercie chaleureusement la geôlière et s'enfuit. En chemin, il achète un cheval à un paysan et part au galop. Il n'a qu'une seule idée en tête : combattre aux côtés de Napoléon.

---

1. **Une geôlière** : gardienne de prison.

Compréhension écrite et orale

DELF **1** **Écoutez l'enregistrement du chapitre, puis cochez la bonne réponse.**

1 Le général Napoléon Bonaparte entre à Milan le
    a ☐ 15 mai 1799.   **b** ☐ 25 mai 1798.   **c** ☐ 15 mai 1796.

2 Fabrice del Dongo passe sa jeunesse à
    a ☐ Grianta.   **b** ☐ Milan.   **c** ☐ Paris.

3 La tante de Fabrice est la comtesse Gina
    a ☐ Pietranera.   **b** ☐ Pietrascura.   **c** ☐ Pietrabianca.

4 L'abbé Blanès est passionné
    a ☐ de cuisine.   **b** ☐ d'équitation.   **c** ☐ d'astrologie.

5 Fabrice apprend que Napoléon a débarqué dans le sud de la France le
    a ☐ 17 mars 1835.   **b** ☐ 7 mars 1815.   **c** ☐ 17 mai 1285.

6 Fabrice del Dongo veut partir pour rejoindre
    a ☐ l'Empereur.   **b** ☐ sa fiancée.   **c** ☐ son père.

7 Fabrice est arrêté car les soldats le prennent pour
    a ☐ un étranger.   **b** ☐ un peureux.   **c** ☐ un espion.

8 Fabrice réussit à s'échapper grâce
    a ☐ à la cuisinière.   **b** ☐ à la geôlière.   **c** ☐ au général.

Enrichissez votre vocabulaire

2 **Associez chaque mot souligné à sa définition.**

1 ☐ Julien est hostile au gouvernement actuel.

2 ☐ Quand je vais à Paris, je loge chez ma tante.

3 ☐ Ils sont accueillis comme des libérateurs.

4 ☐ Sébastien a été obligé de s'exiler à l'étranger.

5 ☐ Ma sœur est passionnée d'astrologie.

6 ☐ Je suis allé voir le curé de mon village.

7 ☐ Les troupes du colonel se dirigent vers le Nord.

8 ☐ Il est arrivé chez moi et m'a demandé l'hospitalité.

a   Personnes qui délivrent, qui libèrent.

b   Groupes de soldats.

c   Fait de recevoir quelqu'un gratuitement chez soi.

d   Habiter.

e   Quitter son pays, partir.

f   Être ennemi de, être opposé à quelque chose.

g   Étude des astres.

h   Prêtre chargé d'une paroisse.

3 **Associez chaque mot à l'image correspondante**

a   un régiment   c   une bourse   e   des uniformes

b   un aigle   d   un espion   f   une prison

Grammaire

La négation restrictive : *ne... que*

Dans les phrases qui n'expriment pas une négation, mais une restriction, on utilise **que** au lieu de **pas**. Cette structure correspond à **seulement**.

*Il **ne** sait faire **que** deux choses : de l'exercice physique et monter à cheval.*
*Il **n'a qu'**une seule idée en tête : combattre aux côtés de Napoléon.*

4 Récrivez les phrases en utilisant la négation restrictive comme dans l'exemple.

Il boit de l'eau.   *Il ne boit que de l'eau.*

1 Il aime le chocolat. ....
2 Nous voulons voir un musée. ....
3 Elles travaillent le samedi. ....
4 Vous pensez aux vacances. ....
5 Tu achètes un gâteau. ....
6 Je lis un livre par an. ....
7 Julie porte des tailleurs. ....
8 Paul regarde les comédies. ....

Production écrite et orale

DELF 5 Racontez un souvenir marquant de votre enfance.

DELF 6 Vous êtes journaliste. Écrivez un article pour raconter le voyage de Fabrice entre le château de Grianta et Paris.

Waterloo

Fabrice arrive sur le champ de bataille de Waterloo.

Là, il rencontre une cantinière[1] à qui il demande où se trouve son régiment.

— Pourquoi es-tu si pressé, mon petit soldat ? lui dit-elle. Tu m'as l'air très jeune et pas encore assez fort pour les coups de sabre qui vont se donner aujourd'hui. Si au moins tu avais un fusil !

Fabrice lui raconte toute son histoire, excepté sa fuite de prison, et, par précaution, lui donne un faux nom. Touchée par sa beauté et sa naïveté, la cantinière lui donne de précieux conseils et lui prépare à manger. Une fois le déjeuner fini, elle lui dit :

— Je dois partir, mon petit. Mais tu me fais pitié, et je t'aime bien.

---

1. **Une cantinière** : personne qui vend de la nourriture aux militaires.

Tu ne sais rien de rien, et tu vas te faire tuer au premier coup de fusil. Viens avec moi et mon régiment !

— Non, je veux me battre ! Je veux aller là-bas, vers cette fumée blanche...

— Ne t'en fais pas, tu te battras... Aujourd'hui, il y en aura pour tout le monde ! Allez, viens avec moi ! dit-elle sur un ton autoritaire. Mon régiment n'est qu'à un quart d'heure d'ici.

Fabrice accepte finalement et part avec la cantinière. Après quelques centaines de mètres, son cheval s'arrête soudainement : un cadavre est allongé sur le sol. Fabrice, le visage très pâle, le regarde avec dégoût. La cantinière s'en aperçoit et se met à rire.

— Tu en verras d'autres, mon petit ! Tu dois t'y habituer !

Fabrice et la cantinière se remettent en route. Ils traversent un petit bois et atteignent une plaine. Soudain, des bruits de canons retentissent de tous les côtés. Notre héros voit passer une troupe de soldats qui escorte [2] des généraux. Il parvient à se glisser à l'intérieur du groupe quand tout à coup, l'un des soldats s'écrie :

— Là-bas, regardez ! C'est l'Empereur !

Tout le monde crie « Vive l'Empereur ! Vive l'Empereur ! ». Fabrice regarde de tous les côtés, mais ne parvient pas à le voir. « Malédiction ! » se dit-il, désespéré. « Je n'arrive pas à reconnaître l'Empereur sur le champ de bataille ! »

Fabrice et les soldats poursuivent leur route. Le soleil est en train de se coucher lorsque Fabrice entend un bruit près de lui. Il se retourne et voit quatre hommes à terre. L'un d'eux est un général couvert de sang. Tout à coup, on saisit Fabrice par les pieds et on le fait tomber. Un soldat prend ensuite le général blessé et l'installe sur son cheval. La troupe part ensuite au galop, abandonnant

---

2. **Escorter** : accompagner pour défendre, protéger.

notre héros sur le champ de bataille. Fou de colère, Fabrice se met à courir derrière eux :

— Voleurs ! Voleurs !

Malheureusement, ses cris sont inutiles : Fabrice est seul et la troupe est déjà très loin. Désespéré, notre héros se met à marcher et arrive près d'un bois. Affamé et à bout de forces, il aperçoit soudain son amie la cantinière qui l'accueille dans sa calèche. Épuisé, Fabrice monte et s'endort aussitôt.

Lorsqu'il se réveille quelques heures plus tard, il est étonné de voir courir de nombreux soldats tout autour de la calèche.

— Que se passe-t-il ? demande-t-il à la cantinière.

— Les Prussiens nous ont attaqués, mon petit. Nous sommes perdus !

— Mais, je ne me suis pas encore battu ! J'ai seulement escorté un général pendant toute la journée. Je veux me battre !

— Ne t'inquiète pas, tu te battras ! dit la cantinière.

Au même moment, un jeune caporal passe devant la calèche.

— Vous allez vous battre ? demande Fabrice.

— Non, je vais mettre mes chaussures pour aller danser ! répond le caporal d'un ton ironique.

— Je vous suis ! s'exclame Fabrice.

Fabrice suit le jeune caporal et rejoint d'autres soldats qui lui donnent un fusil. Lorsqu'ils arrivent près d'un bois, le caporal dit à Fabrice :

— Charge ton fusil, et mets-toi là, derrière cet arbre.

Fabrice est content. « Je vais enfin me battre » se dit-il, enthousiaste. Des coups de fusil retentissent. Fabrice voit passer tout près de lui un cavalier au galop. Il épaule son fusil, le vise et tire : le soldat tombe. Le caporal le rejoint et lui dit :

— Tu l'as tué ! C'est bien, tu es un bon soldat !

Fabrice et son régiment se remettent en route. Après plusieurs heures de marche, ils arrivent sur une grande route remplie de gens. Soudain, quelqu'un crie :

— Fuyez ! Fuyez ! Les soldats de l'armée prussienne arrivent !

Tout le monde court et s'enfuit. En un instant, Fabrice se retrouve seul sur la grande route ; il se retourne, mais ne voit aucun cavalier de l'armée prussienne. « Ils sont fous » se dit-il. Il récupère un cheval et part au galop. Bientôt, il arrive dans une auberge où il rencontre un officier, le colonel Le Baron, qui lui demande de surveiller le pont situé à proximité. Fabrice accepte la mission avec joie. Pendant qu'il exécute les ordres du colonel, notre héros est blessé au bras et à la cuisse par des soldats. Il est alors transporté dans l'écurie de l'auberge pour être soigné.

Le lendemain, il se remet en route mais, après quelques heures de voyage, il se sent mal et il est recueilli par une famille d'aubergistes qui s'occupe de lui.

Quinze jours plus tard, guéri de ses blessures, Fabrice repart pour Paris et se rend dans son ancien hôtel. Là, il trouve vingt lettres de sa mère et de sa tante qui le supplient de rentrer au plus vite en Italie en passant par la Suisse.

Fabrice part aussitôt. Arrivé à Genève, un ami de sa tante lui apprend que son frère l'a dénoncé comme espion au service de Napoléon : il doit donc être très prudent. Il arrive, de nuit et en cachette, au château de Grianta où il est accueilli avec amour par sa mère et sa tante.

— Ah, comme je suis heureuse de te revoir, mon Fabrice ! s'exclame sa mère.

— Moi aussi, Fabrice ! Comme tu m'as manqué ! lui dit sa tante. Mais tu ne peux malheureusement pas rester ici, c'est trop dangereux. Demain, nous partirons chez moi, à Milan.

Compréhension écrite et orale

DELF ❶ Écoutez l'enregistrement du chapitre, dites si les affirmations sont vraies (V) ou fausses (F), puis corrigez celles qui sont fausses.

		V	F

1 Fabrice rencontre une cantinière sur le champ de bataille de Waterloo.
....

2 Fabrice veut s'enfuir et il veut aller vers une fumée noire.
....

3 Fabrice n'arrive pas à reconnaître l'Empereur sur le champ de bataille.
....

4 Des soldats saisissent Fabrice par les pieds et le font tomber par terre.
....

5 Lorsque Fabrice se réveille, il est seul, allongé sous un arbre.
....

6 Des soldats donnent un sabre à Fabrice.
....

7 Fabrice tue un cavalier qui passe près de lui au galop.
....

8 Le colonel Le Baron demande à Fabrice de surveiller un pont.
....

DELF ❷ Lisez le chapitre et répondez aux questions.

1 Où est blessé Fabrice ?
2 Par qui est recueilli Fabrice ?
3 Que trouve Fabrice en arrivant à Paris ?
4 Par où passe Fabrice pour rentrer en Italie ?

Enrichissez votre **vocabulaire**

3 **Complétez les phrases avec les mots proposés**

> à bout de forces   affamé   auberge   pâle   plaine

1   Être ...., c'est avoir le visage très blanc.
2   Une ...., c'est un petit hôtel ou l'on peut dormir et manger.
3   Être ...., c'est avoir très faim.
4   Une ...., c'est une vaste étendue de terre sans relief.
5   Être ...., c'est être épuisé et être à la limite de ses forces.

4 **Associez chaque mot à l'image correspondante.**

a   un sabre   c   une fumée   e   une calèche
b   un fusil   d   un canon   f   une écurie

Grammaire

L'impératif

On utilise l'impératif pour donner un **ordre**, un **conseil** ou **demander quelque chose**. À la forme négative, il exprime une **interdiction**.

L'impératif est formé de trois personnes (la deuxième du singulier et la première et la deuxième du pluriel) et il n'a pas de pronoms personnels sujets.

Viens avec moi !   Là-bas, **regardez** !   Ne t'en **fais** pas !

L'impératif se conjugue comme le présent de l'indicatif, mais à la 2e personne du singulier, le **-s** final des verbes du 1er groupe disparaît.

Charge ton fusil !

Les pronoms personnels compléments se placent après le verbe et sont précédés d'un trait d'union. **Me** et **te** deviennent **moi** et **toi**.

Mets-**toi** là !

5 Conjuguez les verbes entre parenthèses à l'impératif.

1 (Aller, nous) .... à la plage !
2 (Donner, vous) ....-nous une réponse rapidement !
3 (Prendre, tu) .... ton maillot de bain !
4 (Raconter, tu) .... ce qui s'est passé hier !
5 (Venir, vous) .... tout de suite vous asseoir !
6 (Finir, tu) .... tes devoirs !
7 (Mettre, vous) .... vos chaussures !
8 (Boire, tu) .... ton bol de chocolat !

Production écrite et orale

DELF 6 Un de vos amis veut s'engager dans l'armée. Écrivez-lui une lettre pour essayer de l'en dissuader.

7 Écrivez la biographie de votre personnage historique préféré(e).

DELF 8 Vous êtes-vous déjà trouvé à bout de forces ? Racontez votre expérience.

Napoléon dans son cabinet de travail, Jacques-Louis David 1812.

Napoléon Bonaparte

Né à Ajaccio le 15 août 1769, Napoléon Bonaparte quitte très jeune sa Corse natale. À quinze ans, il entre à l'École royale militaire de Paris et en sort lieutenant. Général de brigade en 1793, il est nommé général en chef de l'armée d'Italie, un an plus tard.

Le 9 mars 1796, il épouse Joséphine de Beauharnais. Il prend le pouvoir par le coup d'État du 18 brumaire an VIII (9 novembre 1799) et devient Premier consul. Il dirige alors la France jusqu'au 18 mai 1804, date à laquelle il est nommé Empereur des Français sous le nom de Napoléon 1er. Le sacre a lieu le 2 décembre de 1804 à Paris, dans la cathédrale Notre-Dame.

Dès lors, Napoléon commence une vaste campagne de conquêtes et devient roi d'Italie en 1805. Les armées napoléoniennes conquièrent bientôt une grande partie de l'Europe continentale et remportent victoire sur victoire : Austerlitz, Iéna, Eylau, Wagram.

Bataille de Waterloo 1815, William Sadler.

L'empire impose sa volonté économique et politique à presque toute l'Europe, sauf à l'Angleterre, sa vieille ennemie. En 1812, l'Empereur envahit la Russie mais, surpris par l'hiver, les soldats doivent battre en

retraite. Le Royaume-Uni, la Prusse, La Russie et l'Autriche s'allient et entrent à Paris. Napoléon est obligé d'abdiquer le 6 avril 1814, et il est exilé sur l'île d'Elbe. En 1815, il reprend le pouvoir pendant les Cent-Jours mais, suite à la défaite de Waterloo le 18 juin, il est déporté sur l'île de Sainte-Hélène. Il y meurt le 5 mai 1821. Ses cendres reposent désormais à Paris, aux Invalides.

Waterloo

La bataille de Waterloo s'est déroulée le 18 juin 1815. Elle s'est conclue par la

Portrait de l'Impératrice Joséphine de France, Firmin Massot, 1812.

défaite de l'armée française, menée par l'empereur Napoléon 1er, face à l'armée des Prussiens composée de Britanniques, d'Allemands et de Néerlandais et à celle commandée par le duc de Wellington.

La commune de Waterloo se situe en Belgique, à environ vingt kilomètres au sud de Bruxelles.

Compréhension écrite

1 **Lisez le dossier, puis dites si les affirmations sont vraies (V) ou fausses (F).**

		V	F
1	Napoléon Bonaparte a toujours vécu en Corse.	☐	☐
2	Napoléon Bonaparte se marie le 9 mars 1796.	☐	☐
3	Il est nommé Empereur des Français en 1808.	☐	☐
4	L'Empereur envahit la Russie en 1816.	☐	☐
5	Après la défaite de Waterloo, il est déporté sur l'île de Sainte-Hélène.	☐	☐
6	La commune de Waterloo se situe en Belgique.	☐	☐

2 **Dans un guide touristique, vous trouvez cette fiche sur Napoléon. Pouvez-vous la corriger ?**

Date et lieu de naissance	28 janvier 1772, Calvi
Nom de son épouse	Joséphine Baker
Date et lieu du sacre	2 décembre 1802, Rome
Date de la défaite de Waterloo	18 juin 1825
Date et lieu du décès	3 janvier 1831

Marietta

L e lendemain, Fabrice part à Milan accompagné de sa mère et de sa tante. Arrivés aux portes de la ville, ils sont arrêtés par des gendarmes. La marquise del Dongo est désespérée : elle pense que son mari les a dénoncés. Un gendarme s'approche et dit :

— Je suis désolé, général Fabio Conti, mais je dois vous arrêter pour avoir refusé de montrer hier votre passeport à l'inspecteur.

« Il ne s'agit que d'un malentendu » pense, soulagée, la comtesse Gina Pietranera. Elle se remet de ses émotions et répond :

— Mais, c'est mon neveu, un jeune homme de dix-sept ans, que vous prenez pour un général ?

Le gendarme reconnaît son erreur et s'excuse. C'est alors que quatre autres gendarmes s'approchent : ils ont arrêté le vrai général Conti et sa fille Clélia.

« Qu'elle est belle », pense Fabrice. Rouge d'émotion, Clélia est elle aussi sous le charme de notre héros.

Grâce à sa beauté et à sa diplomatie, la comtesse parvient à faire libérer tout le monde. Arrivé à Milan, Fabrice apprend qu'il est toujours en danger : la police autrichienne le recherche. Le jeune homme se réfugie près de Novare, dans le Piémont.

Quelques jours après son arrivée à Milan, la comtesse Gina Pietranera revoit le comte Mosca qu'elle a connu lorsque Fabrice était en France. Ministre du prince de Parme Ernest IV, le comte est fou amoureux de Gina, mais il est déjà marié. Afin de voir la comtesse plus souvent, il lui propose d'épouser le vieux duc Sanseverina.

— Gina, si vous épousez le duc, vous pourrez disposer de sa fortune et de son palais. Le prince est sur le point de le nommer ambassadeur dans une autre cour et vous le verrez très peu. Ainsi, nous pourrons nous rencontrer chaque fois que nous le souhaiterons.

Gina hésite, mais accepte finalement la proposition du comte Mosca et elle se marie avec le duc quelques semaines plus tard. Devenue duchesse Sanseverina, elle se rend à Parme, où elle poursuit sa relation secrète avec le comte Mosca. Sa beauté et sa noblesse d'esprit charment la cour et le prince. À Parme, Gina se sent revivre : elle aime son palais et est très heureuse à la cour. Une seule chose la rend triste : le départ à Novare de son neveu Fabrice qu'elle adore. Devenu premier ministre, le comte Mosca lui dit un jour :

— Si Fabrice étudie la théologie, je pourrais le faire nommer évêque, puis archevêque ici, à Parme. Qu'en pensez-vous ?

— Oui, dit-elle, je vais lui en parler.

Fabrice accepte la proposition de sa tante et part à Naples pour étudier la théologie.

Trois ans plus tard, en 1821, il finit ses études et revient à Parme. Il loge au palais Sanseverina et passe beaucoup de temps avec sa tante. Cette complicité rend Mosca fou de jalousie.

Le comte se calme cependant car il apprend que Fabrice a fait la connaissance d'une jeune et jolie actrice qui s'appelle Marietta Valserra. Malheureusement, celle-ci a déjà un amant : l'acteur Giletti, un homme terriblement jaloux et violent, qui menace de tuer Fabrice. Face à ce danger, le comte Mosca dit un jour à la duchesse :

— Giletti est un homme très dangereux : il est préférable que Fabrice quitte Parme. Pourquoi n'irait-il pas voir sa mère, la marquise del Dongo, à Belgirate ?

— Oui, vous avez raison : il vaut mieux qu'il parte très rapidement.

— Pendant son absence, je ferai en sorte que la troupe de théâtre s'installe dans une autre ville. Et vous verrez, Fabrice tombera amoureux de la première jolie femme que le hasard conduira sur son chemin !

Trois jours plus tard, Fabrice reçoit une lettre de sa mère qui l'invite à venir à Belgirate, un village situé près du lac Majeur. Mécontent, il quitte Parme et se rend auprès de sa mère, qui l'accueille à bras ouverts. La marquise del Dongo est folle de joie de retrouver son fils bien-aimé, mais elle ne peut malheureusement rester que peu de temps en sa compagnie.

Après le départ de sa mère, Fabrice décide de partir à Grianta pour voir l'abbé Blanès qu'il n'a pas revu depuis son retour de Naples.

Compréhension écrite et orale

DELF ❶ **Écoutez l'enregistrement du chapitre, puis cochez la bonne réponse.**

1 Les gendarmes ont arrêté le général
   a ☐ Fabio Ponti et sa fille.
   b ☐ Pietro Conti et son fils.
   c ☐ Fabio Conti et sa fille.

2 La duchesse Gina Sanseverina charme la cour de Parme grâce à
   a ☐ sa beauté et sa notoriété.
   b ☐ son élégance et son intelligence.
   c ☐ sa beauté et sa noblesse d'esprit.

3 Fabrice part à Naples pour étudier
   a ☐ la théologie.
   b ☐ le sport.
   c ☐ les mathématiques.

4 De retour à Parme, Fabrice rencontre une actrice qui s'appelle
   a ☐ Marietta Giletti.
   b ☐ Marietta Valserra.
   c ☐ Ginetta Valterra.

5 Giletti est un homme terriblement
   a ☐ jaloux et violent.
   b ☐ beau et intelligent.
   c ☐ jaloux et robuste.

6 Fabrice quitte Parme et se rend auprès de sa mère, à
   a ☐ Belgirate, près du lac de Garde.
   b ☐ Milan, près du lac Baïkal.
   c ☐ Belgirate, près du lac Majeur.

❷ **Lisez le chapitre, puis associez chaque fin de phrase au début correspondant.**

1 ☐ Arrivés aux portes de la ville, Fabrice, sa mère et sa tante
2 ☐ Clélia est rouge d'émotion, car elle est
3 ☐ La comtesse Gina a rencontré le comte Mosca
4 ☐ Gina accepte la proposition du comte Mosca et
5 ☐ À Parme, Gina se sent revivre, mais une chose la rend triste :
6 ☐ Fabrice finit ses études de théologie en 1821, puis

ACTIVITES

a lorsque Fabrice était en France.
b le départ de son neveu Fabrice à Novare.
c sous le charme de Fabrice.
d il revient à Parme et passe beaucoup de temps avec sa tante.
e sont arrêtés par des gendarmes.
f elle se marie avec le duc Sanseverina.

Grammaire

Les pronoms relatifs *qui* et *que*

Les pronoms relatifs relient plusieurs phrases et évitent de répéter un sujet ou un complément déjà cités.

Qui

Le pronom relatif **qui** reprend le sujet du verbe qui suit. Il se rapporte à des personnes ou à des choses. Il ne s'élide jamais devant une voyelle ou un **h** muet.

Fabrice reçoit une lettre de sa mère qui l'invite à venir à Belgirate.

Que

Le pronom relatif **que** reprend le complément d'objet du verbe qui suit. Il se rapporte à des personnes ou à des choses. Il s'élide devant une voyelle ou un **h** muet.

Gina revoit le comte Mosca, un homme qu'elle a connu lorsque Fabrice était en France.

3 **Complétez les phrases avec *qui*, *que* ou *qu'*.**

1 Le pantalon .... tu portes me plaît beaucoup !
2 Le livre .... elle préfère est dans sa chambre.
3 L'auberge .... est près de chez moi est très chère !
4 Le train .... arrive de Toulouse est en avance.
5 Je connais très bien la fille .... parle avec Stéphane.
6 Pouvez-vous me donner le dossier .... se trouve sur l'étagère ?
7 Le plat .... nous voulons n'est pas au menu.
8 Mets le pull .... je t'ai acheté pour ton anniversaire.

33

Enrichissez votre **vocabulaire**

4 Complétez la grille de mots croisés à l'aide des définitions.

Horizontalement

1 Femme qui joue un rôle dans un film ou une pièce de théâtre.
2 Homme d'Église qui est chargé d'un diocèse.
3 Amour exclusif.
4 Militaire chargé du maintien de l'ordre et de la sûreté publique.

Verticalement

1 Étude de la religion, des textes sacrés.
2 Ensemble des richesses que possède quelqu'un.

5 Complétez les phrases avec les mots proposés.

> grand-mère   grand-père   neveu   nièce
> oncle   petits-enfants   petites-filles

1 Pauline est la .... de Justine. Justine est donc sa tante.
2 Paul est le .... de Julie et de Ludovic. Julie et Ludovic sont donc ses ....
3 Jean est l'........................... de Sébastien. Sébastien est donc son ....
4 Jeanne est la .... de Sidonie et de Cathy. Sidonie et Cathy sont donc ses ....

Production écrite et orale

DELF **6** Vous avez été conduit(e) au commissariat pour un vol que vous n'avez pas commis. Écrivez un mail à votre meilleur(e) ami(e) pour lui raconter votre aventure.

DELF **7** Vous êtes recherché(e) par la police. Où vous cachez-vous ? Expliquez les raisons de votre choix.

Le duel

Lorsque Fabrice arrive à Grianta, il fait nuit. Il se rend à l'église où le vieil abbé Blanès l'accueille comme un père.

— Je t'attendais mon enfant, dit l'abbé. Je suis très vieux et malade et je vais bientôt mourir.

— Comment !? dit Fabrice, triste et étonné.

— Oui, continue l'abbé, ma vie s'éteindra dans cinq ou six mois. Mais je suis heureux de te revoir une dernière fois.

Fabrice le serre dans ses bras et lui raconte ses aventures à Waterloo, puis à Naples.

— Mon enfant, j'ai eu une vision dans laquelle j'ai vu que tu seras jeté en prison. Tu en sortiras suite à un crime mais, grâce au ciel, ce n'est pas toi qui le commettras. Maintenant, je dois te laisser. Repose-toi, je reviendrai te voir demain soir.

L'abbé salue Fabrice et s'en va. Notre héros est très troublé, mais il finit quand même par s'endormir. Le lendemain, il reste dans le clocher où il passe la journée à admirer la région de son enfance. Le soir, l'abbé lui rend visite et lui dit :

— Mon enfant, tu es en danger ici, tu dois partir ! Je suis très triste, car cette séparation est pour moi beaucoup plus dure que la mort. Allez, embrasse-moi et va-t'en !

Fabrice obéit et part immédiatement. En chemin, il fait un détour pour voir « son arbre », un marronnier que sa mère a planté l'année de sa naissance. De retour à Parme, il se rend au palais Sanseverina, où il apprend que sa tante, la duchesse Gina, a perdu son mari.

Quelques jours plus tard, alors qu'il se trouve sur la grande route qui conduit de Parme à Casal-Maggiore, première ville autrichienne, Fabrice croise une calèche dans laquelle se trouvent Giletti et Marietta. Lorsqu'il voit Fabrice, Giletti, fou de colère, descend et s'écrie :

— Ah, brigand ! Je vais m'occuper de toi ! Ici, tu n'es plus protégé comme à Parme !

Giletti tire son épée de son fourreau et fait tomber de cheval Fabrice, qui commence à s'enfuir. Lorsqu'il passe près de la calèche, notre héros entend Marietta lui dire :

— Fais attention à toi ! Tiens, prends cette arme !

À ces mots, Fabrice voit tomber un grand couteau. Il se baisse pour le ramasser mais, au même moment, il reçoit un coup d'épée dans l'épaule, puis un grand coup dans le visage.

— Je vais te couper la gorge ! crie Giletti.

Malgré ses blessures, Fabrice réussit à prendre le couteau et part en courant. Quelques mètres plus loin, il s'arrête et se retourne face à Giletti. « À la douleur que je ressens au visage, ce bandit

m'a sûrement défiguré ! » se dit-il. Fou de rage, il se jette sur son adversaire et lui plante le couteau dans la poitrine. Giletti tombe par terre : il est mort.

Soudain, Fabrice voit cinq hommes au loin. « Mais… ce sont des gendarmes ! J'ai tué un homme, ils vont certainement m'arrêter ». Il saute dans la calèche et dit au cocher [1] :

— Pars immédiatement ! Si tu me fais passer la frontière, je te donne quatre pièces d'or !

— Entendu ! Ne vous inquiétez pas, ces gens sont à pied, ils ne nous rattraperont pas.

Lorsqu'ils arrivent près de la frontière, Marietta dit à Fabrice :

— Il vaut mieux que tu passes la frontière seul. Tiens, prends le passeport de Giletti.

Fabrice accepte et s'approche lentement de la frontière. Il donne son passeport à un douanier qui l'observe attentivement et dit :

— Que vous est-il arrivé au visage ?

— Ma calèche a eu un accident.

— Avez-vous quelque chose à déclarer ?

— Non, je n'ai sur moi que mon mouchoir. Je vais chez un parent, tout près d'ici, pour chasser.

Le douanier hésite, puis le laisse finalement passer. Une fois arrivé à Casal-Maggiore, Fabrice entre dans une auberge et commande à manger. Quelques instants plus tard, un homme franchit la porte et s'approche de lui pour le saluer :

— Bonjour, votre Excellence !

Fabrice l'observe, puis lui répond :

— Je suis désolé, mais je ne pense pas te connaître.

— Comment ?! Votre Excellence ne me reconnaît pas ? Je suis

---

1.   **Un cocher** : personne qui conduit une voiture à cheval.

Ludovic, un ancien cocher de la duchesse Sanseverina.

Fabrice le regarde attentivement puis, finalement, le reconnaît. Il discute alors longuement avec lui et, à la fin du repas, il lui dit :

— Mon ami, j'ai besoin de ton aide pour me rendre quelque part. Voilà, ce matin, j'ai tué un homme qui voulait m'assassiner parce que je parlais à sa maîtresse.

— Vous pouvez compter sur moi ! Et où voulez-vous aller ?

— À Bologne.

— C'est entendu, je vous accompagnerai !

Ludovic fait disparaître les vêtements tachés de sang de Fabrice, lui en procure d'autres et soigne ses blessures. Le soir même, Fabrice et son nouveau compagnon partent pour Bologne.

Là, notre héros se rend dans l'immense église Saint-Pétrone, où il remercie Dieu d'être encore en vie et où il rencontre Pépé, un domestique de sa tante qui lui apporte un faux passeport. Fabrice lui remet deux lettres : une est destinée à sa tante et l'autre à l'archevêque Landriani qui lui répond que la situation est très grave.

Très cher Fabrice,

À l'exception de la duchesse et de moi, tout le monde croit, à Parme, que vous avez tué de sang-froid Giletti. Toute cette affaire est dirigée par le ministre de la justice Rassi, qui a fait sa fortune en persécutant les accusés. De plus, la marquise Raversi, ennemie du premier ministre Mosca et de madame la duchesse votre tante, essaie de manipuler les témoins : elle veut utiliser cet incident pour renverser le comte Mosca. Surtout, ne revenez pas à Parme : vous seriez arrêté et condamné.

Fabrice suit donc les conseils de l'archevêque et reste à Bologne.

Compréhension écrite et orale

1 Écoutez l'enregistrement du chapitre, puis répondez aux questions.

1 Que fait Fabrice lorsqu'il arrive à Grianta ?

2 Qu'est-ce que l'abbé Blanès a vu dans sa vision ?

3 Qu'est ce que la mère de Fabrice a planté l'année de naissance de son fils ?

4 Qui croise Fabrice lorsqu'il se trouve sur la route qui va de Parme à Casal-Maggiore ?

5 Qu'est-ce que Giletti tire de son fourreau ?

6 Qu'est-ce que Marietta donne à Fabrice ?

7 Que promet Fabrice au cocher s'il lui fait passer la frontière ?

8 Que dit Fabrice au douanier lorsqu'il se présente à la frontière ?

9 Qui est Ludovic ?

10 Que fait Fabrice lorsqu'il arrive à Bologne ?

2 Relisez le chapitre, puis dites quel personnage se cache derrière chaque affirmation.

1 Il accueille Fabrice comme un père. ....

2 Il raconte ses aventures à Waterloo, puis à Naples. ....

3 Il passe la journée à admirer la région de son enfance. ....

4 Il blesse Fabrice d'un coup d'épée. ....

5 Elle dit à Fabrice de passer la frontière seul. ....

6 Il hésite, mais laisse passer Fabrice. ....

7 Il entre dans une auberge et commande à manger. ....

8 Il appelle Fabrice « votre Excellence ». ....

9 Il soigne les blessures de Fabrice. ....

10 Il rencontre Fabrice à Bologne, dans l'église Saint-Pétrone. ....

11 Il écrit une lettre à Fabrice pour lui dire que la situation est très grave. ....

12 Elle essaie de manipuler les témoins du duel. ....

Grammaire

Le futur de l'indicatif

Il sert à exprimer une action ou un fait postérieur au moment où on parle.
*Ils ne nous **rattraperont** pas.*

On forme le futur des verbes réguliers en **-er** et **-ir** en ajoutant les terminaisons **-ai**, **-as**, **-a**, **-ons**, **-ez**, **-ont** à l'infinitif du verbe.
Parler : je parlerai, tu parleras, il parlera, nous parlerons, vous parlerez, ils parleront.
Finir : je finirai, tu finiras, il finira, nous finirons, vous finirez, ils finiront.

Pour les verbes en **-re**, le **-e** final disparaît.
Prendre : *je prendrai*   **Mettre** : *je mettrai*

Pour les autres verbes, les terminaisons ne changent pas, contrairement aux radicaux.
Aller : j'irai, tu iras...   **Faire** : je ferai, tu feras...
Avoir : j'aurai, tu auras...   **Venir** : je viendrai, tu viendras...
Devoir : je devrai, tu devras...   **Vouloir** : je voudrai, tu voudras...
Être : je serai, tu seras...   **Pouvoir** : je pourrai, tu pourras...

3 **Récrivez les phrases en mettant le verbe au futur.**

1 Il est en retard dans son travail.

....

2 Je ne peux pas venir avec toi en vacances.

....

3 Nous faisons un gâteau pour son anniversaire.

....

4 Vous devez finir de ranger votre chambre avant de sortir.

....

5 Je vais voir un copain à Londres.

....

6 Tu viens avec moi au cinéma ?

....

41

Enrichissez votre **vocabulaire**

4 Complétez les phrases à l'aide des mots proposés.

blessures	défiguré	frontière	témoins

1 Il veut passer la .... pour échapper aux gendarmes.

2 Fabrice a très mal au visage : il se sent ....

3 Malgré ses ...., il parvient à se relever et à s'enfuir.

4 De nombreux .... ont assisté au duel.

5 Associez chaque mot à l'image correspondante.

a une épée   **c** un douanier   **e** l'épaule

b un fourreau   **d** un mouchoir   **f** un clocher

1   
2   
3

4   
5   
6

Production écrite et orale

DELF 6 Vous venez de rentrer d'un voyage à l'étranger. Racontez-le en envoyant un mail à votre meilleur(e) ami(e) : décrivez-lui ce que vous avez fait, vu, mangé, découvert, etc.

7 Quels sont les pays qui vous font rêver ? Expliquez pourquoi.

L'arrestation

Un peu plus d'une année est passée depuis la mort de Giletti. Fabrice vit toujours caché entre Florence et Bologne, tandis que Rassi, le ministre de la Justice, essaie par tous les moyens de le faire emprisonner.

Un jour, la marquise Raversi, ennemie de la duchesse Gina Sanseverina et du comte Mosca, annonce dans son salon que la sentence [1] contre Fabrice vient d'être prononcée et qu'elle sera signée et approuvée par le prince le lendemain. À ces mots, Gina, désespérée, court à son palais et réunit tous ses domestiques.

— Je viens d'apprendre que mon neveu a été condamné pour avoir eu le courage de défendre sa vie contre un furieux qui voulait

---

1. **Une sentence** : décision rendue par un juge.

le tuer. Allez me cherchez un habit de voyage, préparez mes malles et faites appeler une calèche : je quitte Parme et pars à Florence.

Une fois prête, la duchesse se fait conduire au palais du prince et demande à être reçue. Lorsqu'elle entre dans le bureau du prince, elle lui dit :

— Altesse Sérénissime, je vais profiter de la fraîcheur de la nuit pour quitter Parme, mais je ne voulais pas partir sans vous avoir remercié pour tout ce que vous avez fait pour moi.

Le prince, qui pensait qu'elle venait demander grâce pour son neveu, dit alors :

— Mais... Pourquoi partir si vite ?

— J'avais planifié ce projet depuis longtemps, mais un déshonneur qu'on a fait à Fabrice del Dongo, qui, demain sera condamné à mort ou à la prison, m'oblige à anticiper mon départ.

La duchesse se lève, salue le prince et se dirige vers la porte. Le prince se précipite vers elle, lui prend la main et lui dit :

— Madame, vous savez que je vous ai toujours aimée. Un meurtre a été commis et j'ai confié le procès à mes meilleurs juges...

— Je quitte les États de votre Altesse, interrompt la duchesse, folle de colère, pour ne plus entendre parler de Rassi et des autres assassins qui ont condamné à mort mon neveu et tant d'autres.

Soudain, on frappe à la porte. Le comte Mosca demande à être reçu. Le prince lui parle du départ imminent de la duchesse. À ces mots, Mosca devient pâle. « Il n'était donc pas au courant », pense le prince. « Je vais perdre la duchesse à tout jamais ! » Il se reprend et dit :

— Et que faudrait-il faire pour annuler le départ de madame ?

— Vous pourriez écrire une lettre, dit-elle, dans laquelle vous expliquez que vous n'êtes pas convaincu de la culpabilité de Fabrice del Dongo, et que vous ne signerez pas la sentence qui le condamne.

Après quelques hésitations, le prince accepte finalement la proposition de la duchesse et demande à Mosca d'écrire la lettre. Cependant, ce dernier modifie légèrement le texte, ce qui permet au prince de pouvoir éventuellement revenir sur sa décision. Le lendemain, le prince, vexé d'avoir été manipulé par une femme, revient sur sa décision. Il convoque Rassi, son ministre de la justice, et lui remet un document dans lequel il condamne Fabrice del Dongo à une peine de douze ans de prison.

Pendant ce temps, grâce à ses espions, la marquise Raversi parvient à découvrir l'endroit où se cache Fabrice. Elle lui écrit une lettre en se faisant passer pour la duchesse et elle lui demande de venir la rejoindre à Castelnovo, près de Parme. Lorsqu'il arrive sur le lieu du rendez-vous, le pauvre Fabrice est arrêté. On lui met les menottes et on le conduit dans le bureau de Fabio Conti, le gouverneur de la citadelle[2] de Parme.

L'arrivée de Fabrice dans cette forteresse provoque une grande agitation, ce qui attire l'attention de la fille du gouverneur. Clélia a beaucoup changé depuis le jour où elle a rencontré Fabrice et sa tante : c'est désormais une très belle jeune fille.

— Que se passe-t-il ? demande-t-elle à un gendarme.

— Mademoiselle, on vient d'arrêter le jeune Fabrice del Dongo.

— Quoi ! s'exclame la jeune femme. C'est monsieur del Dongo qu'on amène en prison ?

Au même moment, Fabrice sort du bureau du gouverneur, escorté par trois gendarmes et son regard croise celui de Clélia. « Quel visage angélique » pense-t-il. « Elle est devenue vraiment très belle ! » Il la salue avec un sourire, puis il lui dit :

2. **Une citadelle** : forteresse construite pour défendre une ville.

— Il me semble, mademoiselle, que je vous ai déjà rencontrée, près du lac de Côme, encore une fois en compagnie de gendarmes.

Clélia rougit. Elle est si émue et bouleversée qu'elle reste sans voix. Une fois Fabrice parti, la jeune fille, troublée, se reproche de ne pas lui avoir répondu. « Quelle noblesse ! Quelle sérénité ! » pense-t-elle. « Comme il avait l'air d'un héros, entouré de ses ennemis ! »

Pendant ce temps, Fabrice monte les 380 marches qui le conduisent à la tour Farnèse, la nouvelle prison. Il n'arrête pas de penser à Clélia. « Quel regard ! » se dit-il.

Le soir même, Clélia se rend à une réception avec son père. Lorsqu'elle aperçoit la duchesse Sanseverina, elle est prise d'un sentiment de tristesse. « Que va-t-il se passer, pense-t-elle, lorsque la duchesse va savoir que son neveu, ce jeune homme au cœur et au visage si nobles, vient d'être jeté en prison ? » Quelques instants plus tard, un homme s'approche de la duchesse et lui dit quelques mots à voix basse. Gina devient alors très pâle et elle quitte la réception. De retour chez elle, elle va dans sa chambre et se jette sur son lit.

— Que faire maintenant ? s'écrie-t-elle, bouleversée. Je dois trouver une solution et aider Fabrice.

Le lendemain, elle reçoit chez elle le comte Mosca et lui dit :

— Séparons-nous : il le faut ! Vous m'avez trahie, c'est à cause de vous que Fabrice est en prison !

— Mais... Que vais-je devenir sans vous ?

— Je ne veux plus vous voir. Maintenant, laissez-moi !

Le comte s'en va, malheureux et désespéré. Il décide alors de tout mettre en œuvre pour faire évader Fabrice. Quelques semaines plus tard, Gina accepte ses excuses et lui pardonne.

Compréhension écrite et orale

DELF 1 Écoutez l'enregistrement du chapitre, puis dites si les affirmations sont vraies (V) ou fausses (F).

		V	F
1	Depuis la mort de Giletti, Fabrice vit caché entre Parme et Milan.	☐	☐
2	La marquise Raversi est une grande amie de Gina Sanseverina.	☐	☐
3	Le prince dit à Gina qu'il l'a toujours aimée.	☐	☐
4	Gina demande au prince de ne pas signer la sentence qui condamne Fabrice.	☐	☐
5	Le prince finit par condamner Fabrice à quinze ans de prison.	☐	☐
6	Fabrice est arrêté, puis conduit dans le bureau de Fabio Conti.	☐	☐
7	Lorsque Clélia voit Fabrice, elle est émue et bouleversée.	☐	☐
8	Gina est heureuse de savoir son neveu en prison.	☐	☐

DELF 2 Lisez le chapitre, puis répondez aux questions.

1 Qui est Rassi ? Qu'essaie-t-il de faire ?
2 Pourquoi Gina se rend-elle dans le bureau du prince ?
3 Que doit contenir la lettre que Gina demande au prince d'écrire ?
4 Pourquoi le prince revient-il sur sa décision ?
5 Que découvre la marquise Raversi grâce à ses espions ?
6 Que provoque l'arrivée de Fabrice dans la forteresse ?
7 Qu'est-ce que la tour Farnèse ?
8 Pourquoi Gina ne veut-elle plus revoir le comte Mosca ?

Grammaire

Le passé récent

Le passé récent exprime une action qui s'est déroulée il y a très peu de temps par rapport au moment où l'on parle : cette action vient de se dérouler.
Il se forme avec le verbe **venir** conjugué + **de** + l'infinitif du verbe.
*On **vient d'arrêter** le jeune Fabrice del Dongo.*
*La sentence **vient d'être** prononcée.*

3 **Transformez les phrases au passé récent.**

1   Julien est parti il y a dix minutes.

....

2   Nous l'avons rencontré il y a quelques instants.

....

3   Valérie a commencé son nouveau travail ce matin.

....

4   Ils sont arrivés il y a cinq minutes.

....

5   Le magasin a été inauguré il y a deux heures.

....

6   Un terrible accident s'est produit il y a une demi-heure.

....

Enrichissez votre **vocabulaire**

4 **Associez chaque mot à l'image correspondante.**

a des menottes	**c** un juge	**e** la réception d'un hôtel
b une malle	**d** une marche	**f** un bureau

5 Choisissez le mot qui convient pour compléter les phrases.

1 J'ai voulu *choisir/anticiper/soutenir* mon départ pour profiter davantage des vacances.

2 Nous avons assisté au *juge/jeu/procès* des cambrioleurs de tableaux.

3 Elle est en train de faire sa valise, car son départ est *présent/ retardé/imminent*.

4 Mes parents ne sont pas convaincus de ma *culpabilité/position/ détresse* dans cette affaire.

5 Il est en prison depuis trois ans, et il a déjà tenté de *s'effacer/ s'évader/s'envoler* trois fois.

6 Quand je l'ai revu pour la première fois, j'étais très *petite/jolie/ émue*.

6 Associez chaque complément au verbe correspondant.

1	prononcer	a	l'attention de quelqu'un
2	planifier	b	sur une décision
3	revenir	c	une sentence
4	se faire passer	d	sans voix
5	attirer	e	un projet
6	rester	f	pour quelqu'un

Production écrite et orale

7 Vous avez trahi la confiance de votre meilleur(e) ami(e). Envoyez-lui un mail pour vous excuser et pour expliquer vos raisons.

8 Vous êtes amoureux/amoureuse d'une personne que vous voyez tous les matins dans le train. Écrivez-lui un mail pour lui avouer vos sentiments.

La tour Farnèse

Pendant ce temps, Grillo, le geôlier, a accompagné Fabrice dans sa cellule, située au deuxième étage de la tour Farnèse. Notre héros est très surpris car, de sa fenêtre, il a une vue magnifique : seul un petit coin d'horizon est caché par le très beau palais du gouverneur de la citadelle. Soudain, ses yeux sont attirés par une fenêtre de cet édifice, où se trouvent des oiseaux de toutes sortes dans de jolies cages. « Cet endroit merveilleux est-il une prison ? » se dit-il. « Ces oiseaux sont-ils à Clélia ? Réussirai-je à la voir ? »

Bercé par ces tendres pensées, Fabrice s'endort quelques instants plus tard. Le lendemain matin, lorsqu'il se réveille, il se précipite de nouveau à la fenêtre et regarde la volière avec admiration. « Pourquoi suis-je tellement heureux alors que je resterai enfermé ici pendant des années ? » se demande-t-il.

Quelques instants plus tard, le menuisier de la citadelle entre dans sa cellule. Il vient prendre les mesures pour faire un volet qu'il mettra sur la fenêtre.

— Comment ! s'exclame Fabrice. Je ne profiterai plus ni de cette vue magnifique ni de ces oiseaux ?

— Ah, les oiseaux de mademoiselle Clélia ! Elle les aime tellement ! Eh bien, non, vous ne pourrez plus les voir.

« Ces oiseaux sont donc à elle, mais demain, je ne les verrai plus ! » pense-t-il, très triste. Une fois le menuisier parti, Fabrice reste à la fenêtre, immobile, et il observe la volière. Vers midi, après quelques heures d'attente, il voit enfin la belle Clélia qui vient s'occuper de ses oiseaux. Il la regarde sans dire un mot. « J'espère qu'elle lèvera les yeux vers ma fenêtre. » Lorsqu'elle a fini de nourrir ses oiseaux, Clélia se dirige dans le fond de la pièce, mais, avant de sortir, elle regarde enfin la fenêtre de la cellule. Très heureux, Fabrice se permet de la saluer. Clélia rougit, baisse les yeux et le salue d'un geste rapide avant de quitter la pièce.

Une fois Clélia partie, Fabrice se sent à la fois heureux et désespéré. « Comment pourrais-je la voir lorsque l'on aura posé cet horrible volet sur ma fenêtre ? Je dois trouver un moyen d'empêcher cela ! »

Le lendemain, malheureusement, le menuisier revient dans la cellule et monte le volet. Fabrice est fou de colère. « J'aurais dû lui dire que je l'aimais ! » se dit-il. « Car, oui, je l'aime ! Je n'aurais jamais pensé trouver des yeux si doux dans un tel lieu ! »

Ce soir-là, Fabrice a une idée : il percera le volet grâce à la petite croix en fer que tous les prisonniers reçoivent pour prier. Après quinze heures de travail ininterrompu, il réussit enfin à faire un trou. Il voit enfin Clélia qui, ne sait pas qu'elle est observée et reste longtemps, immobile, à regarder la fenêtre de la cellule.

Les jours suivants, comme à son habitude, Clélia ne manque pas de venir s'occuper de ses oiseaux. Elle pense très souvent à Fabrice et elle est très inquiète : à Parme, tout le monde dit qu'il va mourir.

Un jour alors qu'elle regarde fixement la fenêtre de la cellule de Fabrice, Clélia voit soudain un morceau de volet disparaître et elle aperçoit la main de Fabrice qui la salue. Émue et troublée, elle rougit et s'en va.

Les semaines suivantes, la jeune fille va deux ou trois fois par jour dans sa volière. Elle y fait installer un piano et parvient à dialoguer avec Fabrice par signes. Notre héros essaie de lui dire qu'il l'aime, mais dès qu'il parle d'amour, la jeune fille refuse de l'écouter et sort de la pièce.

Clélia n'arrête pas de penser à Fabrice. Cependant, un jour, son père, Fabio Conti, lui dit :

— Clélia, le marquis Crescenzi, l'un des hommes les plus riches de la cour, veut vous épouser et...

— Mais, père, je ne...

— Ma fille, vous n'avez pas le choix : si vous refusez, je vous envoie dans le couvent le plus triste de Parme.

Une fois seule, Clélia se met à pleurer. « Le couvent ? » se dit-elle. « Mais alors, je ne reverrai plus Fabrice ! ». Clélia comprend à cet instant qu'elle l'aime et, pour ne pas être séparée de lui, elle obéit à son père et lui dit qu'elle épousera le marquis Crescenzi dans quelques mois.

Elle se précipite dans sa volière, s'installe au piano et, faisant semblant de chanter un opéra, elle dit à Fabrice :

— Grand Dieu, vous êtes encore en vie ! On m'a dit que l'on veut vous empoisonner. Surtout, ne mangez pas la nourriture qu'on vous donnera : je vous ferai parvenir dès ce soir du pain et du chocolat.

Fabrice prend un morceau de charbon et écrit sur sa main : « Je vous aime et la vie ne m'est précieuse que parce que je vous vois. Faites-moi parvenir du papier ».

Quelques jours plus tard, toujours à l'aide d'un morceau de charbon, Fabrice écrit les lettres de l'alphabet sur des feuilles de papier afin de pouvoir dialoguer avec Clélia. La jeune fille accepte cette façon de communiquer et réalise elle aussi un alphabet.

Un jour, Clélia dit à Fabrice :

— J'admire votre délicatesse, car je suis la fille du gouverneur, mais vous ne me demandez jamais de vous aider à retrouver la liberté.

— C'est parce que je ne le souhaite pas ! La vie serait pour moi insupportable si je ne vous voyais pas tous les jours et si je ne pouvais pas vous dire ce que je pense.

Un soir, alors qu'il regarde les étoiles par le trou du volet, Fabrice aperçoit dans le ciel une lumière qui apparaît, puis disparaît à plusieurs reprises. « C'est sûrement un message codé que s'envoient deux amants » pense-t-il. La lumière apparaît, neuf fois. « C'est un I » se dit-il. « Et voilà un N... et un A. » Les signaux se poursuivent et Fabrice parvient à déchiffrer le message : « Gina pense à toi ». Notre héros est fou de joie. Il prend sa lampe et commence à dialoguer avec sa tante, qui lui dit qu'elle fait ces signaux toutes les nuits depuis quatre mois et qu'elle met tout en œuvre pour le faire évader.

Compréhension écrite et orale

1 **Écoutez l'enregistrement du chapitre, puis cochez la bonne réponse.**

1 La cellule de Fabrice se situe dans la tour Farnèse, au
   a ☐ quatrième étage.
   b ☐ deuxième étage.
   c ☐ troisième étage.

2 Clélia possède une volière dans laquelle se trouvent
   a ☐ des oiseaux de toutes sortes.
   b ☐ de nombreux chats.
   c ☐ de jolies fleurs.

3 Le menuisier vient prendre les mesures pour construire
   a ☐ une porte.
   b ☐ un volet.
   c ☐ des barreaux.

4 Pour prier, les prisonniers reçoivent une petite
   a ☐ croix en bois
   b ☐ ceinture en cuir.
   c ☐ croix en fer.

5 Clélia est très inquiète, car tout le monde dit que Fabrice
   a ☐ est heureux.
   b ☐ va mourir.
   c ☐ est très triste.

6 Dans sa volière, Clélia fait installer
   a ☐ une harpe.
   b ☐ un bureau.
   c ☐ un piano.

7 Fabio Conti dit à sa fille qu'elle doit épouser le
   a ☐ marquis Crescenzi.
   b ☐ comte Crispani.
   c ☐ vicomte Marquenzi.

8 Fabrice réussit à dialoguer avec Clélia grâce
   a ☐ à une lumière.
   b ☐ aux étoiles.
   c ☐ à un alphabet.

Grammaire

Le conditionnel

Il sert à demander quelque chose poliment, donner un conseil, exprimer un désir ou un regret. On l'emploie aussi dans les phrases hypothétiques ou pour exprimer le futur dans le passé.

*La vie **serait** pour moi insupportable si je ne vous voyais pas.*

Le conditionnel présent

Pour former le conditionnel présent, on ajoute les terminaisons **-ais**, **-ais**, **-ait**, **-ions**, **-iez**, **-aient** à l'infinitif du verbe.

Parler : je parler**ais**, tu parler**ais**... **Finir** : je finir**ais**, tu finir**ais**...

Le radical des verbes irréguliers subit les mêmes changements qu'au futur.

Avoir : j'aurais	**Aller** : j'irais	**Être** : je serais
Faire : je ferais	**Prendre** : je prendrais	**Vouloir** : je voudrais

Le conditionnel passé

Il se forme avec l'auxiliaire **être** ou **avoir** au conditionnel présent suivi du participe passé du verbe.

*J'**aurais dû** lui dire que je l'aimais.*

Le participe passé s'accorde avec le sujet si l'auxiliaire est **être**.

2 **Conjuguez les verbes entre parenthèses au conditionnel présent, puis récrivez les phrases au conditionnel passé.**

1 Il (*devoir*) .... aller plus souvent au cinéma.
  ....

2 Nous (*finir*) .... par ne plus venir te voir !
  ....

3 Elles (*aller*) .... travailler le samedi pour gagner davantage.
  ....

4 Vous (*vouloir*) .... partir en vacances au mois de juin.
  ....

5 Tu (*avoir*) .... de meilleures notes en classe !
  ....

6 Je (*être*) .... content de partir avec toi.
  ....

Enrichissez votre **vocabulaire**

3 Observez les photos, puis remettez les lettres dans l'ordre.

1 une LECELUL
....

2 un UETOVNC
....

3 un RSEMNIEUI
....

4 un TOLVE
....

5 un ISOUAE
....

6 une RVLEOIÈ
....

Production écrite et orale

DELF **4** Un jour, alors que vous marchez dans la rue, vous êtes témoin d'une arrestation. Envoyez un mail à l'un(e) de vos ami(e)s pour lui raconter comment cela s'est passé.

DELF **5** Quelle est votre saison préférée ? Expliquez pourquoi.

L'évasion

L'annonce d'une libération prochaine plonge Fabrice dans une grande tristesse. Le lendemain, Clélia remarque son air grave et lui demande ce qu'il a.

— La duchesse Sanseverina veut que je sorte de cette prison, lui répond-il. Je ne pourrai jamais l'accepter.

Clélia, bouleversée, se met à pleurer. Le lendemain, Fabrice reçoit une lettre écrite de sa main.

> *Mon ami, vous êtes en danger de mort ici. Des gens ont tenté plusieurs fois de vous empoisonner, et ils continueront de le faire. Vous devez utiliser tous les moyens possibles pour sortir d'ici. Je suis la fille du gouverneur et, en disant ces mots, je trahis mon père. Mais sauvez-vous, je vous l'ordonne...*

Trois jours plus tard, Fabrice reçoit une nouvelle lettre, envoyée cette fois-ci par sa tante, la duchesse Sanseverina.

> *Fabrice, de nombreuses personnes m'ont confirmé que tu risques de mourir empoisonné d'un jour à l'autre. Tu dois t'évader au plus vite. Pour cela, nous te fournirons des cordes. Nous te ferons savoir quand le moment sera venu.*

« Tout ceci est très bien pensé, mais je ne partirai pas » se dit Fabrice. « Est-ce que l'on peut se sauver d'un endroit où l'on est merveilleusement heureux ? » Quelques jours plus tard, aidée par Grillo, le geôlier, Clélia rencontre Fabrice dans la petite chapelle de la citadelle.

— Tu vas me promettre, lui dit-elle, tremblante, de m'obéir et de tenter de fuir ou je te jure que je ne te parlerai plus.

Fabrice ne dit pas un mot et baisse la tête.

— Promets, dit Clélia, les larmes aux yeux, ou bien nous nous parlons ici pour la dernière fois.

— D'accord, dit Fabrice presque à voix basse. J'obéirai…

La duchesse Sanseverina prépare donc l'évasion de son neveu avec l'aide de Ferrante Palla, un poète républicain qu'elle a rencontré il y a quelques mois. Elle décide également de se venger du prince.

— Ferrante, vous détestez le prince autant que moi, peut-être même plus. Aidez-moi à le tuer. Vous l'empoisonnerez le jour où je laisserai couler dans la rue l'eau du réservoir de mon palais.

— C'est un honneur pour moi d'exécuter vos ordres, madame !

Quelques jours plus tard, la duchesse Sanseverina rencontre Clélia lors du mariage de la sœur du marquis Crescenzi. Elle lui donne les cordes qui doivent servir à l'évasion de Fabrice. Elle demande également à l'un de ses hommes de donner un puissant somnifère au gouverneur Fabio Conti. Lorsque ce dernier tombe par terre, sans connaissance, on le transporte à la citadelle.

Clélia est terrorisée : elle pense que son père a été empoisonné. Lorsqu'elle découvre qu'il a été drogué sur ordre de la duchesse, elle est désespérée d'avoir été complice, malgré elle, de cet acte.

Le lendemain, elle envoie une lettre à Fabrice.

> *Cher Fabrice,*
> *Je regrette énormément ce qui s'est passé avec mon père. S'il se sauve, j'ai fait vœu à la Vierge que je ne vous reverrai plus jamais. Mais je vais finir ce que j'ai commencé et je vais vous aider à vous évader. Dimanche, après la messe, vous trouverez les cordes que votre tante vous envoie. Vers minuit, je vous ferai un signal grâce à ma lampe et vous pourrez vous enfuir. Adieu, Fabrice ! Je vais prier pour qu'il ne vous arrive rien. Si vous mourrez, je mourrai aussi...*

Le dimanche suivant, après la messe, Fabrice est prêt pour son évasion : il a les cordes et, depuis huit jours, il a déjà scié les barreaux et le volet de la fenêtre. Ce soir-là, un épais brouillard enveloppe la citadelle. Fabrice est assis dans sa cellule, il attend. Soudain, il aperçoit le signal lumineux que lui fait Clélia. Il s'attache à la corde et commence à descendre la tour Farnèse.

Grâce au brouillard, il réussit à ne pas se faire voir par les gardes. Après une longue et dangereuse descente, il arrive enfin au pied de la tour, où il est accueilli par sa tante et ses hommes qui le conduisent dans une calèche pour l'emmener loin de Parme. Gina serre son neveu très fort dans ses bras, mais épuisé et les mains en sang, Fabrice s'évanouit. La duchesse ordonne au cocher de partir immédiatement et demande à l'un de ses hommes d'ouvrir les réservoirs d'eau de son château, afin de donner le signal à Ferrante Palla d'empoisonner le prince.

Le lendemain, Fabrice et Gina arrivent en Suisse, à Locarno, près du lac Majeur. Là, la duchesse découvre avec désespoir que

Fabrice a énormément changé : il est très triste d'avoir quitté la prison. Il envoie même une lettre à Fabio Conti dans laquelle il s'excuse de s'être évadé.

Un jour, un prêtre arrive chez la duchesse et annonce :

— Le prince de Parme est mort !

— Donne-t-on d'autres détails ? demande la duchesse.

— Non, juste la nouvelle de la mort, qui est certaine.

La duchesse regarde alors Fabrice et se dit : « J'ai fait cela pour lui, et j'aurais même fait pire. Malgré cela, il est là, devant moi, et il souffre ». Fabrice ne pense, en effet, qu'à une chose : revenir à Parme pour voir Clélia et empêcher son mariage. Quelques heures plus tard, la duchesse reçoit la visite de Bruno, l'homme de confiance du comte Mosca, qui lui apprend que le prince est mort à la chasse.

— Le comte m'a aussi chargé de vous donner cette lettre, dit-il.

La duchesse l'ouvre immédiatement.

> *Mon cher ange,*
>
> *Si tu veux revenir à Parme, comme je le pense, je te conseille d'attendre un jour ou deux la lettre que t'enverra la princesse, la mère du nouveau prince. Il faut que ton retour soit magnifique. Quant à Fabrice, je le ferai juger par douze juges pour le faire innocenter, mais avant il faut que je retrouve la sentence pour la détruire.*

Le lendemain midi, un homme apporte à la duchesse une lettre de la princesse, ainsi qu'une ordonnance du nouveau prince, Ranuce-Ernest V, qui la nomme duchesse de San Giovanni et dame d'honneur de la princesse.

Aussitôt après dîner, Fabrice et sa tante partent en direction de Parme.

Compréhension écrite et orale

DELF ❶ Écoutez l'enregistrement du chapitre, dites si les affirmations sont vraies (V) ou fausses (F), puis corrigez celles qui sont fausses.

V F

1 Fabrice est très content d'être libéré très prochainement.
....

2 Fabrice reçoit deux lettres : une de Clélia et une de sa tante.
....

3 Clélia rencontre Fabrice dans la petite chapelle de la citadelle.
....

4 Si Fabrice n'obéit pas à sa tante, Clélia s'enfuit en Angleterre.
....

5 La duchesse prépare l'évasion de Fabrice avec l'aide du Comte Mosca.
....

6 Ferrante Palla devra empoisonner le prince le jour où la duchesse laissera couler dans la rue l'eau de son réservoir.
....

7 Fabio Conti a été drogué sur ordre de Clélia.
....

8 L'évasion de Fabrice est prévue un lundi.
....

9 Le jour de l'évasion, un épais brouillard enveloppe la citadelle.
....

10 Fabrice s'évade grâce à une échelle.
....

11 Après l'évasion, Fabrice et Gina se rendent à Milan.
....

12 La duchesse reçoit la visite de Bruno, l'homme de confiance du comte Mosca.
....

2 Lisez le chapitre, puis devinez quel(s) personnage(s) se cache(nt) derrière chaque affirmation.

1 Elles veulent que Fabrice sorte de prison. ....

2 Il aide Clélia à rencontrer Fabrice. ....

3 Il promet à Clélia qu'il tentera de fuir. ....

4 Il aide la duchesse dans l'évasion de Fabrice. ....

5 Elle donne des cordes à Clélia. ....

6 Il tombe par terre, sans connaissance. ....

7 Elle fait un signal lumineux à Fabrice. ....

8 Il a scié les barreaux et le volet de la fenêtre. ....

3 Replacez les événements dans l'ordre chronologique de l'histoire.

a ☐ La duchesse Sanseverina prépare l'évasion de son neveu avec l'aide de Ferrante Palla, un poète républicain.

b ☐ Fabrice reçoit une lettre de Clélia dans laquelle la jeune fille lui ordonne de s'évader de prison.

c ☐ La duchesse demande à l'un des ses hommes d'ouvrir les réservoirs d'eau de son château afin de donner le signal à Ferrante Palla d'empoisonner le prince.

d ☐ La duchesse Sanseverina écrit à Fabrice pour lui dire qu'il risque de mourir empoisonné d'un jour à l'autre.

e ☐ Un prêtre arrive chez la duchesse et lui annonce la mort du prince de Parme.

f ☐ Fabrice aperçoit le signal lumineux que lui fait Clélia. Il s'attache à une corde et commence à descendre la tour Farnèse.

g ☐ Grâce à Grillo, le geôlier, Clélia rencontre Fabrice dans la petite chapelle de la citadelle.

h ☐ Clélia découvre que son père a été drogué sur ordre de la duchesse.

i ☐ Après une longue et dangereuse descente, Fabrice arrive au pied de la tour, où il est accueilli par sa tante et ses hommes qui le conduisent dans une calèche pour l'emmener loin de Parme.

j ☐ La duchesse Sanseverina rencontre Clélia lors d'un mariage, et elle lui donne les cordes qui doivent servir à l'évasion de Fabrice.

Enrichissez votre **vocabulaire**

4 Observez les photos, puis remettez les lettres dans l'ordre.

1 une PEHLCLAE

....

2 des SDOECR

....

3 le RIRLDABOUL

....

4 des XEBRARUA

....

Production écrite et orale

5 Vous êtes journaliste et vous écrivez un article sur l'évasion d'un prisonnier.

DELF 6 Qu'emporteriez-vous sur une île déserte ? Pourquoi ?

7 Votre frère se marie et sa future épouse vous a demandé d'écrire un texte racontant son enfance et son adolescence.

L'acquittement

Une fois arrivée à Parme, la duchesse Gina Sanseverina est reçue par la princesse, dont elle devient la confidente. Introduite à la cour, elle organise de très belles soirées pendant lesquelles on joue des pièces de théâtre. Le prince, qui aime en secret la duchesse, y participe en personne. Fabrice, lui, se déguise en paysan et passe tout son temps dans la baraque en bois d'un marchand de marrons située tout près de la citadelle afin de pouvoir admirer Clélia en secret.

Pendant ce temps, le ministre de la Justice Rassi enquête sur la mort du prince qui, selon lui, a été assassiné. Il parvient à remonter jusqu'à Ferrante Palla et confie le dossier complet de l'enquête au nouveau souverain, Ranuce-Ernest V. Celui-ci en parle à la duchesse Sanseverina, qui réussit à le convaincre de brûler tous

ces documents compromettants. De retour chez elle, elle raconte au comte Mosca ces événements et lui demande si la sentence contre Fabrice a enfin été détruite.

— Malheureusement, pas encore. Mais le prince vous apprécie énormément. Profitez de cette situation. Ma chère amie, voilà ce que vous allez faire : demain, vous allez vous rendre chez lui et lui demander que Fabrice soit jugé de nouveau.

La duchesse Sanseverina suit les conseils du comte, et elle en parle le lendemain matin à Fabrice. Notre héros accepte et se constitue donc prisonnier, non à la prison de la ville, contrôlée par le comte Mosca, mais à la citadelle, pour pouvoir être près de Clélia.

Lorsqu'elle apprend cela, la duchesse se précipite à la citadelle pour essayer de parler avec Fabio Conti, qui refuse de la faire entrer. Elle est désespérée car le gouverneur, qui s'était senti déshonoré par l'évasion de Fabrice, est fermement décidé à se venger : Fabrice est donc en danger.

L'arrivée de Fabrice dans la citadelle désespère également Clélia : elle sait en effet qu'elle ne peut pas vivre heureuse loin de lui, mais elle a promis à la Vierge qu'elle ne le reverrait plus et qu'elle épouserait le marquis Crescenzi. Le lendemain, alors qu'elle parle avec l'une des cuisinières de la citadelle, elle apprend que Fabrice risque à chaque instant d'être empoisonné et qu'il ne sortira pas vivant de sa cellule.

À ces mots, Clélia est folle d'angoisse. « S'il est encore en vie, je dois le sauver ! » se dit-elle. Elle se précipite dans la tour Farnèse, monte rapidement les marches et arrive devant le geôlier.

— Mademoiselle, avez-vous un ordre du gouverneur ?

— Mais, vous ne me reconnaissez pas ? dit Clélia, comme poussée par une force surnaturelle.

Le geôlier la laisse finalement passer. Clélia arrive devant la porte de la cellule de Fabrice, tourne la lourde clé et entre. Fabrice est assis devant son dîner. Clélia le renverse et lui dit :

— As-tu mangé ?

« Elle est tellement troublée qu'elle me tutoie ! » pense Fabrice. « Pour la première fois, je sens qu'elle m'aime ! » Fabrice n'a pas encore commencé son repas. « Ce dîner était empoisonné » se dit-il. « Si je lui dis que je ne l'ai pas encore touché, elle pensera à sa promesse et s'enfuira. Si elle pense que je suis mourant, elle restera ! » Il la prend alors dans ses bras et l'embrasse.

— Je ne sens pas encore de douleurs, dit-il finalement. Mais je tomberai bientôt à tes pieds. Aide-moi à mourir !

— Ô, mon seul amour ! Je mourrai avec toi, dit-elle avant de le serrer dans ses bras.

Fabrice est fou de joie, mais il pense soudain à ce qu'il lui a dit.

— Je ne veux pas que notre bonheur commence par un affreux mensonge. En réalité, je n'ai pas encore touché à ces plats.

Clélia le regarde. Elle est partagée entre deux sentiments violents et opposés : s'enfuir ou l'embrasser. Elle finit par se jeter dans ses bras. On entend alors un grand bruit dans le couloir.

— Ah, ils viennent pour me tuer ! Adieu, ma Clélia ! Je bénis ma mort, puisqu'elle me permet de connaître le bonheur !

Clélia l'embrasse et lui donne un petit couteau.

— Ne te laisse pas tuer, lui dit-elle, et défends-toi jusqu'au bout.

Fabrice ouvre la porte de la cellule et se précipite dans les escaliers, le couteau dans les mains. Il aperçoit un homme qui le regarde, terrorisé.

— Monsieur del Dongo, je suis le général Fontana. C'est le prince qui m'envoie. Je suis venu vous sauver !

Quelques instants avant que Clélia n'entre dans la cellule, la duchesse Sanseverina, qui savait Fabrice en danger de mort, avait rencontré le prince. Elle lui avait promis qu'elle passerait une nuit avec lui si son neveu sortait sain et sauf de sa cellule et s'il était nommé adjoint de l'archevêque Landriani. Fou amoureux d'elle, le prince avait accepté et avait envoyé l'un de ses officiers à la citadelle.

Le général Fontana prend donc Fabrice et le fait sortir de la citadelle. Lorsqu'ils franchissent la porte, ils voient la duchesse Sanseverina, qui demande aussitôt à Fabrice :

— As-tu mangé ?

— Non, par miracle.

La duchesse se jette de bonheur à son cou, puis le fait monter dans sa calèche et le conduit chez elle.

Le lendemain, le prince apprend que le repas de Fabrice était réellement empoisonné. Il ordonne alors que Fabio Conti, le gouverneur de la citadelle, soit exilé jusqu'au mariage de sa fille avec le marquis Crescenzi.

Quelques jours plus tard, Fabrice est jugé au cours d'un nouveau procès : il est acquitté et retrouve enfin sa liberté. Le lendemain, le prince le nomme adjoint de l'archevêque Landriani.

Malgré cela, le jeune homme est très triste car il ne voit plus Clélia qui, après le départ de son père, est partie vivre chez sa tante, la comtesse Contarini. Notre héros parvient cependant à louer un appartement situé en face du palais où habite sa bien-aimée.

Compréhension écrite et orale

DELF ❶ Écoutez l'enregistrement du chapitre, puis cochez la bonne réponse.

1 La duchesse Gina Sanseverina organise de très belles soirées pendant lesquelles on joue
   - a ☐ aux dames et aux échecs.
   - b ☐ à la corde à sauter.
   - c ☐ des pièces de théâtre.

2 Déguisé en paysan, Fabrice passe tout son temps dans la baraque en bois
   - a ☐ d'un marchand de marrons.
   - b ☐ d'une vendeuse de fleurs.
   - c ☐ de trois musiciens.

3 La duchesse réussit à convaincre le nouveau souverain de brûler
   - a ☐ un cierge dans une église.
   - b ☐ des marrons glacés.
   - c ☐ le dossier complet de l'enquête.

4 Fabrice accepte les conseils de sa tante et il
   - a ☐ se fait livrer un nouveau déguisement.
   - b ☐ se constitue prisonnier à la citadelle.
   - c ☐ part en voyage à l'étranger.

5 Clélia apprend que Fabrice risque à chaque instant
   - a ☐ d'être empoisonné.
   - b ☐ d'être kidnappé.
   - c ☐ de triompher.

6 Clélia, folle d'angoisse, se précipite dans la tour Farnèse pour
   - a ☐ voir le geôlier.
   - b ☐ déjeuner avec son père.
   - c ☐ sauver Fabrice.

7 Clélia dit à Fabrice de se défendre jusqu'au bout et elle lui donne
   - a ☐ un petit couteau.
   - b ☐ une grande épée.
   - c ☐ une gourde remplie de poison.

8 Fabrice, acquitté au cours d'un nouveau procès, est nommé
   - a ☐ gouverneur de la citadelle.
   - b ☐ adjoint de l'archevêque.
   - c ☐ ministre de la Justice.

DELF **2** Écoutez de nouveau l'enregistrement du chapitre, puis répondez aux questions.

1 Par qui est reçue la duchesse une fois arrivée à Parme ?

2 En quoi Fabrice se déguise-t-il ?

3 Sur quoi le ministre de la Justice Rassi enquête-t-il ?

4 Comment s'appelle le nouveau souverain de Parme ?

5 Qu'est-ce que le général Fontana est venu faire ?

6 Qu'est-ce que la duchesse a promis au prince pour sauver Fabrice ?

7 Pourquoi Fabrice est-il triste après son acquittement ?

8 Où Clélia est-elle partie vivre après le départ de son père ?

3 Lisez le chapitre, puis associez chaque fin de phrase au début correspondant.

1 ☐ Le prince, qui aime en secret la duchesse, participe

2 ☐ Fabrice passe tout son temps

3 ☐ Le ministre de la Justice Rassi confie le dossier

4 ☐ La duchesse se précipite à la citadelle pour

5 ☐ Clélia sait qu'elle ne peut pas vivre heureuse sans Fabrice,

6 ☐ Clélia, folle d'angoisse, se précipite dans la

7 ☐ Le prince ordonne que le gouverneur de la citadelle

8 ☐ Fabrice parvient à louer un appartement situé

a complet de l'enquête au nouveau souverain, Ranuce-Ernest V.

b soit exilé jusqu'au mariage de sa fille avec le marquis.

c en face du palais où loge sa bien-aimée.

d aux pièces de théâtre organisées à la cour.

e parler avec le gouverneur Fabio Conti.

f dans la baraque en bois d'un marchand de marrons.

g mais elle a promis à la Vierge qu'elle ne le reverrait plus.

h tour Farnèse pour essayer de sauver Fabrice.

Enrichissez votre **vocabulaire**

4 **Associez chaque complément au verbe correspondant.**

1	jouer	a	prisonnier
2	organiser	b	jusqu'au bout
3	profiter	c	déshonoré
4	suivre	d	de belles soirées
5	se constituer	e	d'une situation
6	se sentir	f	entre deux sentiments
7	être	g	une porte
8	être partagé	h	les conseils de quelqu'un
9	se défendre	i	fermement décidé
10	franchir	j	une pièce de théâtre

5 **Écoutez l'enregistrement, puis complétez le texte à l'aide des mots proposés.**

actes   acteurs   applaudir   billets   comédie   décor
dégourdir   entracte   metteur en scène   pièce
public   répliques   rideau   salle   théâtre   troupe

Hier, je suis allé avec ma sœur et mon cousin au (**1**) ....
Quand nous sommes arrivés, la (**2**) .... était comble :
heureusement que nous avions achetés nos (**3**) ....
à l'avance ! La (**4**) .... que l'on jouait était en deux
(**5**) .... Il s'agissait d'une (**6**) .... réalisée par
un célèbre (**7**) .... français. Nous nous sommes beaucoup
amusés, car les (**8**) .... étaient très drôles. Et puis les
(**9**) .... étaient excellents ! Lorsque le (**10**) ....
s'est levé, nous avons découvert le (**11**) .... qui était simple,
mais très réaliste. C'était vraiment génial ! À l'(**12**) ....,
nous avons pu nous (**13**) .... les jambes et boire un bon
jus d'orange. À la fin, tout le (**14**) .... s'est mis debout pour
(**15**) .... la (**16**) .... au grand complet !

6 Retrouvez dans le chapitre les mots ou les expressions qui correspondent à chaque définition.

1 Décision judiciaire déclarant un accusé non coupable :
a _ _ u _ _ t e _ _ _ _.

2 Personne à qui l'on confie ses secrets : _ _ n _ _ d _ _ t.

3 Variété de châtaigne : _ a _ _ o _.

4 Exposer quelqu'un à un danger, causer un préjudice :
c _ _ p _ _ _ e _ _ r _.

5 S'habiller de façon à ne pas être reconnu : se _ _ _ u _ _ _ r.

6 Faire perdre son honneur à quelqu'un, compromettre sa réputation : _ é _ _ _ n _ _ _ r.

7 Remercier, rendre grâce : b _ _ _ _.

8 Discours, propos contraire à la vérité : _ e _ _ _ n _ _.

9 Se dit de quelqu'un sorti indemne d'un danger, d'un péril :
s _ _ _ et _ a _ _.

10 Prendre quelque chose en location : _ _ _ e _.

Production écrite et orale

7 Vous vous faites passer pour ce que vous n'êtes pas pour séduire quelqu'un, mais vous le regrettez. Vous décidez finalement de tout avouer dans un mail.

8 À quoi seriez-vous prêt pour sauver celui ou celle que vous aimez ?

DELF 9 Quel est le monument de votre ville que vous préférez. Décrivez-le en quelques lignes.

La Chartreuse de Parme au cinéma

La première et principale adaptation de la Chartreuse de Parme au cinéma date de 1948. Il s'agit d'un film franco-italien du réalisateur français Christian-Jaque. Le film commence avec le retour de Fabrice del Dongo de Naples, et ne parle donc pas du début du roman et de la célèbre bataille de Waterloo.

> Gérard Philipe, qui incarnait le rôle de Fabrice del Dongo, refusa de se faire doubler, même dans les scènes dangereuses.

Ce film a eu un immense succès et a permis de mieux faire connaître l'œuvre de Stendhal au grand public. Les principaux acteurs sont Gérard Philipe dans le rôle de Fabrice del Dongo, Renée Faure qui incarne Clélia Conti et Maria Casarès qui joue le rôle de la duchesse Gina Sanseverina.

En 2011, une autre adaptation pour le cinéma a été réalisée. Il s'agit une nouvelle fois d'une production franco-italienne. Réalisé par Cinzia TH Torrini, ce téléfilm met en scène des acteurs et actrices de renom, tels que Rodrigo Guirao Diaz, Hippolyte Girardot ou encore Marie-Josée Croze.

A

RENÉ CHATEAU
présente

GERARD PHILIPE

GÉRARD PHILIPE
RENÉE FAURE · MARIA CASARÈS
un film de CHRISTIAN-JAQUE

dialogue de
PIERRE VERY
d'après l'œuvre de
STENDHAL

La CHARTREUSE de PARME

LOUIS SALOU · COËDEL

UN FILM DE
CHRISTIAN-JAQUE

B

1 Selon vous, quels sont les personnages représentés sur la photo A ?

2 Décrivez la façon dont sont habillés les deux personnages au centre de la photo A. Que font-ils ?

3 Qui a réalisé le film de l'affiche B ?

4 Selon vous, quels sont les personnages représentés sur l'affiche B ?

5 Quels personnages sont selon vous représentés sur la photo C ? Justifiez votre réponse.

6 Décrivez la façon dont les deux personnages de la photo C se regardent.

C

Le mariage de Clélia

Fabrice se cache très souvent dans son appartement pour  pouvoir apercevoir Clélia. Les fois où il parvient à l'observer, il remarque que son visage est toujours très sérieux. « Elle veut rester fidèle à sa promesse de ne plus me voir » se dit-il.

Un jour, à la tombée de la nuit, notre héros se déguise en bourgeois et se présente à la porte du palais où habite Clélia.

— Bonsoir, dit-il. J'arrive de Turin et j'apporte à mademoiselle Clélia Conti des lettres de son père.

Le domestique le fait entrer et le conduit dans une grande pièce située au premier étage.

— Attendez ici, je vais voir si mademoiselle Conti peut vous recevoir.

Quelques minutes plus tard, le domestique annonce à Fabrice qu'il peut monter au second étage où mademoiselle Conti l'attend.

Fabrice tremble d'émotion lorsqu'il monte les escaliers. Il entre dans la pièce et aperçoit Clélia, assise devant une petite table éclairée par une seule bougie. Malgré son déguisement, la jeune fille le reconnaît immédiatement et elle court se cacher au fond de la pièce.

— Voilà comment vous me respectez ! s'écrie-t-elle. Vous savez pourtant que j'ai promis à la Vierge de ne plus vous voir !

À ces mots, Fabrice éteint la seule bougie placée sur la table et s'approche de Clélia qui se jette dans ses bras.

— Comme ça, tu n'es pas obligée de me voir et tu peux tenir ta promesse !

— Cher Fabrice ! lui dit-elle. Comme tu as tardé à venir ! Je t'attends depuis si longtemps !

Fabrice est fou de joie : il la serre dans ses bras et l'embrasse. Les deux amoureux passent la soirée ensemble et savourent leur bonheur.

Cependant, Clélia apprend qu'elle doit épouser au plus vite le marquis Crescenzi pour sauver son père de l'exil. Elle fixe alors elle-même la date du mariage et écrit une longue lettre à Fabrice qui, lorsqu'il la reçoit, décide de se retirer dans un couvent. Contraint de revenir à Parme à cause de ses fonctions d'archevêque adjoint, notre héros s'installe seul dans un tout petit appartement et refuse d'assister aux fêtes organisées à la cour.

Quelques semaines plus tard a lieu le mariage entre le marquis Crescenzi et Clélia. Fabrice est désespéré : il vit dans une totale solitude et son attitude lui vaut une immense réputation de sainteté. Un jour, alors qu'il rend visite à sa tante, il rencontre le comte Mosca qui l'informe qu'il se rend à la cour le samedi suivant car la princesse organise une fête à l'occasion de son anniversaire. « À la cour, je risque de rencontrer Clélia ! » pense-t-il, accablé !

Le samedi, Fabrice arrive au palais princier pour assister à la fête. Il tremble à l'idée de revoir Clélia. Alors qu'il est dans un petit salon, il l'aperçoit et se met à pleurer. Clélia le regarde et le reconnaît à peine. « Comme il a maigri ! » se dit-elle, bouleversée.

Notre héros s'approche d'elle et lui récite à voix basse deux vers qu'il lui avait écrit, un jour, sur un mouchoir en soie. Clélia est folle de joie : « Il ne m'a donc pas oubliée ! » pense-t-elle. Elle lui donne discrètement son éventail et lui dit :

— Oublions le passé et gardez ce souvenir d'amitié.

Fabrice prend le cadeau que lui donne Clélia, le met dans sa poche et quitte la fête.

Le lendemain, il décide que sa période de solitude doit prendre fin et il revient s'installer dans son magnifique appartement au palais Sanseverina. Quelques jours plus tard, la duchesse Gina quitte définitivement la ville de Parme et se rend à Pérouse pour épouser le comte Mosca. Pendant ce temps, Clélia est désespérée, car elle a une nouvelle fois manqué à sa promesse de ne plus voir Fabrice. Elle s'enferme dans son palais et décide de sortir le moins possible.

Fabrice, lui, est de plus en plus triste : il a l'impression qu'il ne reverra plus celle qu'il aime.

Compréhension écrite et orale

DELF ❶ Écoutez l'enregistrement du chapitre, dites si les affirmations sont vraies (V) ou fausses (F), puis corrigez celles qui sont fausses.

V F

1 Fabrice se déguise en bourgeois et se présente au palais où loge Clélia. ☐ ☐
....

2 Clélia attend Fabrice au troisième étage de son palais. ☐ ☐
....

3 Clélia repousse violemment Fabrice et s'enferme dans sa chambre. ☐ ☐
....

4 Quand il apprend la date du mariage de Clélia, Fabrice se retire dans un couvent. ☐ ☐
....

5 La princesse organise une fête pour fêter son mariage. ☐ ☐
....

6 Fabrice récite à Clélia un poème qu'il a écrit. ☐ ☐
....

7 Clélia donne discrètement son éventail à Fabrice. ☐ ☐
....

8 La duchesse quitte la ville de Parme et se rend à Pérouse. ☐ ☐
....

❷ Lisez le chapitre, puis répondez aux questions.

1 Pourquoi Fabrice se cache-t-il très souvent dans son appartement ?

2 Que fait Clélia lorsqu'elle reconnaît Fabrice sous son déguisement ?

3 Pourquoi Fabrice éteint-il la bougie ?

4 Pourquoi Clélia doit-elle épouser au plus vite le marquis Crescenzi ?

5 Pourquoi Fabrice doit-il se rendre à la cour ?

6 Qu'est-ce que Fabrice récite à Clélia ?

3 Relisez le chapitre, puis dites quel personnage se cache derrière chaque affirmation.

1 Il dit qu'il arrive de Turin et qu'il apporte des lettres à Clélia.
   ....

2 Il conduit Fabrice dans une grande pièce. ....

3 Elle fixe la date de son mariage. ....

4 Il refuse de participer aux fêtes organisées à la cour. ....

5 Elle organise une fête à l'occasion de son anniversaire.
   ....

6 Il se rend à la cour le samedi suivant. ....

7 Elle se rend à Pérouse pour épouser le comte Mosca. ....

8 Elle s'enferme dans son palais et sort le moins possible.
   ....

4 Écoutez l'enregistrement, puis remettez dans le bon ordre les vers de ce célèbre poème d'Arthur Rimbaud intitulé *Le Dormeur du Val*.

a ☐ Luit : c'est un petit val qui mousse de rayons.

b ☐ Les parfums ne font pas frissonner sa narine ;

c ☐ C'est un trou de verdure où chante une rivière

d ☐ Et la nuque baignant dans le frais cresson bleu,

e ☐ Sourirait un enfant malade, il fait un somme :

f ☐ Accrochant follement aux herbes des haillons

g ☐ Pâle dans son lit vert où la lumière pleut.

h ☐ D'argent ; où le soleil, de la montagne fière,

i ☐ Un soldat jeune, bouche ouverte, tête nue,

j ☐ Tranquille. Il a deux trous rouges au côté droit.

k ☐ Dort ; il est étendu dans l'herbe, sous la nue,

l ☐ Il dort dans le soleil, la main sur sa poitrine,

m ☐ Nature, berce-le chaudement : il a froid.

n ☐ Les pieds dans les glaïeuls, il dort. Souriant comme

Enrichissez votre **vocabulaire**

5 **Associez chaque pièce de la maison à la définition correspondante.**

1 ☐ Pièce située sous la maison.   **a** le débarras

2 ☐ Pièce où l'on prépare les repas.   **b** la cave

3 ☐ Endroit de la maison où l'on dort.   **c** le sous-sol

4 ☐ Pièce où l'on se lave.   **d** le salon

5 ☐ Endroit de la maison ou l'on travaille. **e** la chambre

6 ☐ Pièce où l'on reçoit les invités.   **f** la salle de bains

7 ☐ On y conserve généralement le vin.   **g** la cuisine

8 ☐ On y met les objets encombrants   **h** le bureau
ou peu utilisés.

6 **Associez chaque mot à sa définition.**

a un éventail   **b** un déguisement   **c** contraint   **d** un bourgeois

1 ☐ Personne qui appartient à la bourgeoisie.

2 ☐ Ensemble des éléments utilisés pour se déguiser.

3 ☐ Petit objet portatif qui permet de s'éventer, de s'aérer.

4 ☐ Participe passé du verbe « contraindre » signifiant « obligé ».

Production écrite et orale

7 **La personne que vous aimez se marie avec quelqu'un d'autre. Écrivez-lui une lettre dans laquelle vous lui avouez vos sentiments.**

8 **Quelle est la dernière promesse que vous avez faite ? L'avez-vous tenue ? Pourquoi ?**

Un amour impossible

Les semaines, puis les mois passent. Fabrice essaie de voir Clélia, mais en vain : la nouvelle marquise Crescenzi reste enfermée dans son palais. Elle ne sort même plus dans son immense jardin depuis qu'elle a découvert que Fabrice y était entré pour mettre des fleurs.

Un jour, notre héros reçoit une lettre de sa tante qui lui conseille d'aller prononcer des sermons dans les églises de Parme. Désespéré de ne pas avoir revu Clélia depuis plus d'un an, il suit les recommandations de la duchesse et commence à prêcher[1]. Ses discours rencontrent très rapidement un très grand succès : les gens, surtout les femmes, l'admirent tellement qu'ils payent pour

---

1. **Prêcher** : enseigner la parole de Dieu, prononcer un sermon.

réserver des places dans les églises où il va prêcher.

« Clélia viendra peut-être assister à l'un de mes sermons » espère Fabrice. Poussé par cet espoir, il prêche souvent dans une petite église située à proximité du palais Crescenzi.

Le succès que rencontre Fabrice est si grand que le marquis Crescenzi conseille à son épouse d'aller assister à l'un de ses sermons, mais la jeune femme refuse. « Si je le vois, je suis perdue » se dit-elle.

Quelques temps plus tard, Clélia apprend cependant qu'une très jolie jeune fille nommée Anetta Marini est follement amoureuse de Fabrice. Gonzo, un ami de son mari, lui dit même que Fabrice est probablement, lui aussi, amoureux d'elle.

Jalouse, elle décide finalement d'aller assister à l'un des discours de Fabrice. « Ce n'est pas Fabrice que je vais voir, se justifie-t-elle. Je vais écouter un grand prédicateur [2] »

Le jour où elle se rend à l'église, elle se met à pleurer lorsqu'elle le voit : « Comme il est pâle et maigre ». Fabrice, lui, est très troublé. Pour cacher son émotion, il lit une prière qui bouleverse Clélia.

Lorsqu'elle rentre chez elle, la jeune marquise va dans sa chambre pour pouvoir penser à Fabrice en toute liberté. Le lendemain, elle lui envoie une lettre.

Cher Fabrice,
Je vous attends demain à minuit au 19 de la rue Saint-Paul. Faites attention à vous.
Clélia

À la lecture de ces mots, Fabrice tombe à genoux :

— Je vais enfin la revoir, s'écrie-t-il. Après quatorze mois et huit jours ! Adieu les prédications !

2.   **Un prédicateur** : personne qui annonce la parole de Dieu.

Le lendemain, Fabrice se présente au rendez-vous à minuit pile. Lorsqu'il arrive devant la porte du 19, rue Saint-Paul, il entend une voix bien connue lui dire tout bas :

— Entre ici, ami de mon cœur.

Fabrice pousse la porte et entre dans une pièce où règne une obscurité totale. Soudain, il sent une main prendre la sienne, puis une voix chérie lui dire :

— C'est moi qui suis venue ici pour te dire que je t'aime. Je te reçois dans le noir car, comme tu le sais, j'ai promis à la Vierge de ne plus jamais te voir.

Fabrice est fou de joie. Il la prend dans ses bras et l'embrasse tendrement.

Les deux amoureux commencent alors une relation secrète. Ils se voient très souvent, toujours dans l'obscurité, et leur amour devient de plus en plus fort.

Un an plus tard, Clélia donne naissance à un fils, fruit de sa relation avec Fabrice, qu'elle appelle Sandrino.

Les semaines, puis les mois passent. Sandrino devient un charmant petit garçon de deux ans, qui est toujours avec sa mère ou sur les genoux du marquis Crescenzi. Fabrice, lui, est très triste car il ne voit jamais son fils. Une nuit, il dit à Clélia :

— À cause de ta promesse, je ne peux pas te voir et je suis obligé de vivre seul. Et puis, mon fils ne m'aimera jamais, car il ne sait pas qui est son vrai père.

— Que veux-tu dire ? répond Clélia, effrayée.

— Je veux mon fils ! Je veux le voir tous les jours et je veux qu'il habite avec moi ! Je veux qu'il commence à m'aimer et je veux pouvoir l'aimer en toute liberté.

— Je te comprends, Fabrice, dit-elle, bouleversée. Mais comment faire ?

— J'ai une idée : nous pourrions tout d'abord faire croire qu'il est malade, puis, pendant un voyage du marquis, nous ferions semblant qu'il meurt.

— Ce que tu me demandes est impossible ! Je suis désolée, mais je ne peux malheureusement pas accepter !

Face à ce refus, la tristesse de Fabrice augmente jour après jour. Clélia comprend son désespoir et finit par accepter sa proposition.

La jeune femme dit alors que Sandrino est atteint d'une maladie grave. Cependant, à force de rester coucher dans son lit, le petit garçon tombe réellement malade et meurt quelques semaines plus tard.

Clélia est désespérée : elle pense que la Vierge l'a punie parce qu'elle n'a pas respecté sa promesse de ne plus jamais voir Fabrice. Dévorée par les remords, elle meurt quelques mois après son fils.

Après la mort de sa bien-aimée et de son fils, Fabrice est inconsolable. Il ne souhaite qu'une chose : retrouver Clélia dans un monde meilleur. Il pense alors au suicide, mais il est trop croyant pour passer à l'acte. Il décide alors de vendre tous ses biens et de se retirer à la Chartreuse de Parme, où il meurt un an plus tard.

Compréhension écrite et orale

DELF **1** **Écoutez l'enregistrement du chapitre, puis cochez la bonne réponse.**

1 Clélia ne sort plus dans son jardin depuis que Fabrice y est entré pour
   a ☐ voler des feuilles.
   b ☐ planter des arbres.
   c ☐ déposer des fleurs.

2 Les gens réservent des places dans les églises où Fabrice
   a ☐ va prêcher.
   b ☐ met des fleurs.
   c ☐ écrit des lettres.

3 La jeune fille qui est tombée amoureuse de Fabrice s'appelle
   a ☐ Brunetta Parini.
   b ☐ Anetta Pierini.
   c ☐ Anetta Marini.

4 Lorsqu'il voit Clélia dans l'église, Fabrice lit une prière pour
   a ☐ passer le temps.
   b ☐ cacher son émotion.
   c ☐ montrer son intelligence.

5 Fabrice est fou de joie car il va enfin revoir Clélia après
   a ☐ dix-huit mois et quatre jours.
   b ☐ seize mois et six jours.
   c ☐ quatorze mois et huit jours.

6 Clélia donne naissance à un fils qu'elle appelle
   a ☐ Sandrino.
   b ☐ Stefano.
   c ☐ Silvanino.

7 Clélia pense que la Vierge l'a punie parce qu'elle n'a pas
   a ☐ respecté sa promesse.
   b ☐ été une bonne croyante.
   c ☐ été gentille avec son fils.

8 Après la mort de Clélia, Fabrice vend tous ses biens et se retire
   a ☐ dans une grotte.
   b ☐ à la montagne.
   c ☐ à la Chartreuse de Parme.

2 **Lisez le chapitre, puis associez chaque fin de phrase à son début.**

1 ☐ Fabrice essaie de voir Clélia, mais la nouvelle marquise
2 ☐ Désespéré de ne pas avoir revu Clélia depuis plus d'un an,
3 ☐ Le succès de Fabrice est si grand que le marquis Crescenzi
4 ☐ Lorsque Clélia rentre chez elle après avoir vu Fabrice,
5 ☐ Fabrice pousse la porte et entre dans une
6 ☐ Sandrino est un charmant petit garçon qui est toujours

a conseille à son épouse d'aller assister à l'un de ses sermons.
b elle va dans sa chambre pour penser à lui en toute liberté.
c avec sa mère ou sur les genoux du marquis Crescenzi.
d pièce où règne une obscurité totale.
e Crescenzi reste enfermée dans son palais.
f Fabrice suit les recommandations de sa tante et commence à
  prêcher.

Grammaire

Les pronoms possessifs

Les pronoms possessifs marquent la possession de quelque chose dont
on a déjà parlé.

Ils sont précédés d'un article défini ou contracté. Ils s'accordent en
genre et en nombre avec le nom qu'ils remplacent et varient en fonction
du possesseur.

*Soudain, il sent une main prendre **la sienne**.*

Singulier		Pluriel	
Masculin	**Féminin**	**Masculin**	**Féminin**
le mien	la mienne	les miens	les miennes
le tien	la tienne	les tiens	les tiennes
le sien	la sienne	les siens	les siennes
le nôtre	la nôtre	les nôtres	
le vôtre	la vôtre	les vôtres	
le leur	la leur	les leurs	

À la première et à la seconde personne du pluriel, les pronoms
possessifs prennent un accent circonflexe sur le **o**.

3 Récrivez les phrases en remplaçant les mots soulignés par un pronom possessif.

1 Mes parents et <u>ses parents</u> sont en vacances.

....

2 Pour fêter mon anniversaire, j'invite mes amis et <u>leurs amis</u>.

....

3 J'ai oublié ma guitare. Je peux prendre <u>ta guitare</u> ?

....

4 Voilà mon adresse. Quelle est <u>votre adresse</u> ?

....

5 Je n'ai plus de vêtements. Je peux mettre <u>vos vêtements</u> ?

....

6 J'ai téléphoné à ma famille. Et lui, il peut téléphoner à <u>sa famille</u> ?

....

7 Vous êtes venus avec vos animaux. Et nous, nous pouvons venir avec <u>nos animaux</u> ?

....

8 Ma moto est beaucoup plus rapide que <u>sa moto</u>.

....

Production écrite et orale

DELF **4** Quel est le dernier mensonge que vous avez dit ? Pourquoi ?

DELF **5** Décrivez en quelques phrases vos qualités et vos défauts.

6 Vous avez participé à un concours de littérature organisé par votre mairie et vous recevez le premier prix. Imaginez le discours que vous devez prononcer lors de la remise des prix.

1 Remettez les dessins dans l'ordre chronologique de l'histoire, puis décrivez-les à l'aide d'une phrase.

2 **Cochez la ou les affirmation(s) correcte(s) pour chaque personnage.**

1 Fabrice

a ☐ Il part en Espagne pour rejoindre l'Empereur.

b ☐ Il part à Naples pour étudier la théologie.

c ☐ Il se bat en duel contre un acteur dénommé Giletti.

d ☐ Il déteste l'abbé Blanès.

e ☐ Il s'échappe de la citadelle de Parme.

2 Gina

a ☐ C'est une femme d'une grande beauté.

b ☐ Elle épouse le prince de Parme Ernest IV.

c ☐ Elle est la maîtresse du comte Mosca.

d ☐ Elle demande au Prince de ne pas signer la sentence qui condamne Fabrice.

e ☐ Elle aide son neveu à s'évader de prison.

3 Clélia

a ☐ C'est la fille du prince de Parme.

b ☐ Elle adore les oiseaux.

c ☐ Elle doit épouser le marquis Crescenzi.

d ☐ Elle promet à la Vierge de ne plus sortir de chez elle.

e ☐ Elle donne naissance à un fils qu'elle appelle Sandrino.

4 Le comte Mosca

a ☐ Il est très amoureux de Gina.

b ☐ C'est un homme très jeune.

c ☐ Il est devenu premier ministre du prince.

d ☐ C'est le gouverneur de la citadelle.

e ☐ Il refuse d'aider Gina à sauver Fabrice.

3 Complétez les phrases avec les verbes proposés.

> anticiper attirer jouer organiser planifier
> rester revenir se défendre s'évader s'exiler

1   Nicolas a été obligé de .... à l'étranger.

2   J'ai dû .... mon départ à cause des grèves.

3   Le voleur a pu .... de la prison grâce à ses complices.

4   Si tu n'es pas d'accord, tu peux toujours .... sur ta décision.

5   Il essaie toujours d'........................ l'attention sur lui.

6   Nous avons décidé de .... ce projet la semaine dernière.

7   Il est difficile de ne pas .... sans voix face à ses critiques.

8   Il a voulu .... jusqu'au bout.

9   Nos parents ont décidé d'........................ une belle fête pour leur anniversaire de mariage.

10 Il est parti à l'étranger pour .... une pièce de théâtre avec sa troupe.

4 Retrouvez dans le livre les mots ou expressions qui correspondent à chaque définition.

1   Fait de recevoir quelqu'un gratuitement chez soi :
    h _ _ p _ _ _ _ i _ _.

2   Groupes de soldats : _ r _ _ _ e.

3   Étude de la religion, des textes sacrés : t _ _ _ l _ _ i _.

4   Militaire chargé du maintien de l'ordre et de la sûreté publique :
    _ e _ _ a _ _ _.

5   Ensemble des richesses que possède quelqu'un : _ _ r _ _ _ e.

6   Discours, propos contraires à la vérité : m _ _ _ o _ _ e.

7   Décision judiciaire déclarant un accusé non coupable :
    a _ _ _ _ _ t _ m _ _ _.

8   Variété de châtaigne : m _ _ _ _ n.

5 Écrivez la légende de chaque image.

1 .... 2 .... 3 ....

4 .... 5 .... 6 ....

7 .... 8 .... 9 ....